絶対決める！

地方初級
国家一般職

［高卒者］

公務員試験総合問題集

新星出

◆本書の特色◆

実践的な教養試験問題

　本書は，高校卒業程度の知識で受験できる「地方公務員初級」「国家公務員一般職，税務職員」採用試験に共通する，教養試験（多肢選択式）問題を集中的にまとめたものです。なお，**国家公務員試験**では基礎能力試験が見直され，令和6年以降，情報の問題が出題されます。

　知能分野・知識分野の各科目の問題・解答は，1ページ完結（長文問題は見開きまたは数ページ単位）にまとめました。本書を利用される方には，本試験に対応した実践的で利用しやすい構成になっています。

赤シートを上手に使おう

　本書は，「解答解説」などの部分を赤シート対応にしており，正誤が伏せられるようになっているので，何回でも問題を解くことができます。「解説」でも解答のヒントとなる重要語句が赤シートで見えないようにしてあるため，これらの語句が大事だということがわかり暗記に役立ちます。

「フォローアップ」で実力アップ

　科目の最後に，「フォローアップ」一問一答式問題（科目により2個程度の穴埋めもあります）をたっぷり掲載しました。本番想定の科目問題を解いたら，このフォローアップ問題をスピード処理で答えたり，逆引き（答えから問題を解く）利用など自分流の活用で，しっかり実力アップにつなげてください。なお，このフォローアップは一部の科目は除いてあります。

A・B・Cの重要度で効率的学習

　各問題には重要度が付いています。「A」は最も重要で出題率が高く，難易度も高い項目です。「B」は次に重要な表示で，ここも出題率が高いと見込まれるところです。「C」は要マーク，出題が見込まれるテーマとして挙げ，効率的に学べる表示です。AとBの内容は確実に覚え，Cは「本番でも楽勝！」と行けるようにしたいものです。

受験ガイドは最新情報

　地方公務員初級の採用試験情報は，自治体により異なり，ガイドとして1本化できません。各自治体の試験制度に大きな変更はありませんので，参考例として一部自治体の内容を8ページの表にまとめました。掲載の「受験ガイド」は，国家公務員一般職試験を中心としたものです。最新情報になっていますが，詳しい内容は，いずれも問合せ先となる各人事院等で確認してください。

試験の「傾向と対策」でポイント強化

　受験ガイドの最後に，過去の各公務員試験出題項目を科目ごとに「傾向と対策」としてまとめました。受験勉強で何が必要なテーマ・項目なのかがわかります。本書の模擬問題を解いて，さらに覚えなければならないものなど挙げております。おさらいにも活用してください。

地方公務員初級・国家公務員一般職（高卒者）採用試験ガイド

★地方公務員と国家公務員

ひとくちに公務員といっても，地方公務員と国家公務員では，その仕事や採用方法に違いがあります。

地方公務員には，都道府県という広い範囲で多岐にわたる仕事を抱える**都道府県職員**や，地域に密着して地域住民の暮らしを支える**市区町村職員**があります。地方公務員全体の中で大きな割合を占める教員や警察官は，都道府県職員です（教員は政令指定都市による採用もあります）。

地方公務員初級**一般行政職**の場合は，それぞれの地方自治体の各部署・各分野において，窓口業務から政策の立案にいたるまで，さまざまな業務に携わることになります。採用試験においては，教養試験による**基礎能力**の評価以外に，適性試験や作文，面接による**人物評価**がなされます。

国家公務員は，各省庁や裁判所，衆議院・参議院の各事務局等に採用され，国家全般の仕事に携わります。勤務地も全国各地にわたります。国家公務員**一般職（高卒者）**で採用された場合，庶務や経理などの一般事務の業務に就くことになります。

このガイドでは，地方公務員初級試験は「地方初級」，国家公務員一般職試験（高卒者）は「国家一般職」，専門職試験「税務職員」は「税務」として表記します。

試験制度内容については変更されることがあります。また，「地方初級」は募集内容が各自治体で異なりますので，実施団体の各地方人事院事務局（所），役所等で，「国家一般職」は人事院ホームページで，**ご自身で確認をしてください。**

★公務員の主な職種

◆事務系	一般行政，学校事務，警察事務
◆技術系	土木，建築，電気・機械化学農業・林業水産　など
◆資格・免許系	看護師，保健師，栄養士，保育士　など
◆公安系	警察官，消防官　など
◆技能系	給食調理員，清掃作業員，公営乗物運転士　など

◢◣公務員受験メモ

〈区分とは〉公務員の職種を決めて受験する「試験の区分」をいう。

地方初級の事務系は「一般事務」，「学校事務」，「警察事務」，技術系は「総合土木」，「水産」などと具体的である。国家一般職は「行政」「農学」「農業農村工学」「電気・電子・情報」「機械」「土木」「建築」「物理」「化学」「林学」の区分などがある。

なお，地方初級，国家一般職とも毎年決まって区分募集を行っているわけではない。募集内容は，必ず早めに各人事委員会等で確認して受験計画をたてるようにしよう。

★受験できる公務員試験区分

自治体が実施する試験	・地方初級（事務系・技術系）	
人事院が実施する試験	・国家一般職（事務・技術系）	
人事院が実施する試験・専門職	・税務（事務） ・刑務官（公安系） ・航空保安大学校学生 ・海上保安学校学生	・皇宮護衛官（公安系） ・入国警備官（公安系） ・海上保安大学校学生 ・気象大学校学生
直接に機関等が実施する試験	・裁判所職員一般職 ・衆議院事務局職員 ・衆・参議院事務局衛視 ・警察官・消防官　など	・国立国会図書館事務局員 ・参議院事務局職員

★公務員の数

　日本には，いったいどれくらいの公務員がいるのでしょうか？　「地方・国家」それぞれの人数を表したのが円グラフです。これを総人口でみると国民約38人に1人となります。地方公務員は46人に1人，国家公務員は214人に1人です。いかに私たちの身の回りでたくさんの公務員の人たちが行政の役割を担って働いているかがわかります。

（資料：公務員白書）

　国家公務員は，特別職（大臣，裁判官，防衛省職員など含む）約30万人と一般職（一般公務員，検察官など）約29.5万人がいます。数字は，年度により増減するため，簡単に表しています。

★公務員の給与，休日

　地方公務員の給与は，条例で決められた給料表の額で支給されます。その他に「手当」があります。初任給は自治体の財政状況により減額措置など取られているところがあります。

　国家公務員の場合は，法律で定められており，こちらは俸給表によって支給されます。こちらも諸手当があります。防衛省職員などについては，機関による別途の形で支給されています。支給額は人事院勧告で民間給与との比較から額が決まり，国会で決定されます。

　採用当初の支給金額は，令和6年の場合，約188,000円と公表されています（金額は年度により増減します）。

　勤務時間は，ともに週休2日制で週38時間45分勤務が原則です。勤務内容により，交替制や変則労働時間制があります。休暇は一般的に年間20日となっています。

★受験資格年齢

- **地 方 初 級**→「平成○年4月2日〜平成○年4月1日までに生まれた者」と募集案内に表記されます（おおむね，受験年度の4月1日現在，17歳以上21歳未満の者）。
- **国家一般職**→①受験年度の4月1日現在，卒業した日の翌日から2年
  （高卒者） を経過していない者及び受験年度の3月までに卒業見込みの者，②人事院が①に掲げる者に準ずると認める者。
- **税 　 　 務**→「一般職」①の「2年を経過していない者」が「3年を経過していない者」。②人事院が①に掲げる者に準ずると認める者。

★試験の流れ（国家一般職・税務の例） 地方初級は p.8 を参照

（1）**受験要項・申込書配布**（5月上旬）
　　→人事院のホームページに受験案内が掲載される。

（2）**申込書受付期間**（6月中旬〜下旬）
　　→インターネット申込専用アドレスから申し込む。
　　→インターネット申込みができない環境にある場合は，受付期間前に余裕をもって p.7 の各事務局に問い合わせる。

◆第1次試験（9月上旬）

■試験種目と内容

国家一般職（A区分：事務, B区分：技術, 農業土木, 林業），**税務**（C区分）

試験種目	対象区分	試験科目
基礎能力試験 （多肢選択式）	全区分	40題①知能分野20題必須（文章理解7題，課題処理7題，数的処理4題，資料解釈2題）②知識分野20題必須（自然科学5題，人文科学8題，社会科学6題，情報1題）
適性試験 （多肢選択式）	A・C区分	120題：置換・照合・計算・分類などの時間内処理スピード検査
作文試験	A・C区分	1題（第1次試験合格者を対象として評定，最終合格者決定に反映）
専門試験 （多肢選択式）	B区分	40題（技術は①電気・情報系，②機械系，③土木系，④建築系から選択の20題含む）

※解答時間

| 基礎能力試験
（1時間30分） | 適性試験
（15分） | 専門試験
（1時間40分） | 作文試験
（50分） |

(3) **第1次試験合格者発表**（10月上旬）
　　→合格者は第1次試験の「基礎能力試験」「適性試験又は専門試験」
　　で決定。合格者の受験番号がインターネット合格者発表専用アドレス
　　に掲載される。

◆**第2次試験**（10月中旬〜下旬）

試験種目	対象区分	試験科目
人物試験	全区分	人柄，対人的能力などについての個別面接（参考として性格検査がある）
身体検査	C区分	胸部疾患，尿，その他一般内科系検査

★**最終合格者発表**（11月中旬）
　　→最終合格通知書はパーソナルレコードにログインしてダウンロードする。

■**合格者発表に関する問合せ先**
・人事院事務総局
　〒100-8913　東京都千代田区霞が関1-2-3　TEL 03（3581）5311
・関係する人事院地方事務局（所）（p.7参照）

★**採用**（おおむね翌年4月以降）
　最終合格者は採用候補者名簿に記載（有効期間1年）され，名簿記載順に面接など行い採用を決定する。

★**科目配分と合格ラインの目安**
　地方初級・教養試験（国家一般職・税務は基礎能力試験）の知能・知識分野配分は，各自治体によって異なります。120分で計50題必須と，科目ごとの問題数の記載がないのが一般的です。一例では，埼玉・愛知・岡山県などがこの表記です。群馬県は知識分野・知能分野各25題と表示しています。これ以外では，大阪府が45題，京都府が社会科学9題・知能25題が必須，人文・自然科学が16題中11題選択というのがあります。また，特別区（東京都）は知能28題が必須，知識は22題中17題が選択で計45題です。同じ45題でも，東京都は知能28題・知識17題がともに必須です。
　合格ラインはいずれも公表されておりません。したがって，それぞれの合格判定基準から考えることになりますが，この場合は試験要項に発表されている合格基準が参考になります。受験者はそれを頭に入れて受験しなければなりません。「作文は悪かったけど教養は平均点以上は取れただろうから1次は大丈夫」と考えていると，不合格というのが大半のケースです。それは「試験種目で基準点に達しない者は合計得点が高くて

試験種目で基準点に達しない者は合計得点が高くても不合格！

も不合格」というのを採用しているところが多いからです。

　例えば，群馬・愛知県などでは各試験種目の成績（1次の「**教養試験**」）で**一定の基準に達しない場合は（他の種目の成績に関わらず）不合格**です。また，基準点のラインを公表（国家一般職・税務，茨城など）しているところでも同様の扱いです。また，教養試験で一定の基準（点）に達しない者は，1次試験の作文の採点をしないというのがあり，すなわち不合格ということです（東京都など）。

　このように，**1次試験ではいずれかの試験種目が基準のラインに達しないと2次試験には進めません**から，1次試験で指定された種目は，最低目標得点を6割〜7割あたりに置いて受験することが大事です。

●人事院各地方事務局（所）

第1次試験地	申込先	所在地	連絡先
札幌市　函館市 旭川市　帯広市 北見市	人事院 北海道事務局	〒060-0042 札幌市中央区大通西12丁目	TEL 011（241）1248 FAX 011（281）5759
青森市　盛岡市 秋田市　仙台市 山形市　福島市	人事院 東北事務局	〒980-0014 仙台市青葉区本町3-2-23	TEL 022（221）2022 FAX 022（267）5315
新潟市　前橋市 長野市　松本市 甲府市　水戸市 宇都宮市　横浜市 千葉市　さいたま市 東京都	人事院 関東事務局	〒330-9712 さいたま市中央区新都心1-1	TEL 048（740） 2006〜8 FAX 048（601）1021
静岡市　名古屋市 津市　岐阜市 富山市　金沢市 福井市	人事院 中部事務局	〒460-0001 名古屋市中区三の丸2-5-1	TEL 052（961）6838 FAX 052（961）0069
京都市　大阪市 神戸市　奈良市 和歌山市	人事院 近畿事務局	〒553-8513 大阪市福島区福島1-1-60	TEL 06（4796）2191 FAX 06（4796）2188
鳥取市　松江市 岡山市　広島市 山口市	人事院 中国事務局	〒730-0012 広島市中区上八丁堀6-30	TEL 082（228）1183 FAX 082（211）0548
徳島市　高松市 松山市　高知市	人事院 四国事務局	〒760-0019 高松市サンポート3-33	TEL 087（880）7442 FAX 087（880）7443
福岡市　北九州市 佐賀市　大分市 長崎市　熊本市 宮崎市　鹿児島市	人事院 九州事務局	〒812-0013 福岡市博多区博多駅東2-11-1	TEL 092（431）7733 FAX 092（475）0565
那覇市	人事院 沖縄事務所	〒900-0022 那覇市樋川1-15-15	TEL 098（834）8400 FAX 098（854）0209

地方公務員初級採用試験情報（参考）

募集先	北海道	宮城県	川崎市
受験資格年齢	北海道人事委員会が規定する年齢	宮城県人事委員会が規定する年齢	川崎市人事委員会が規定する年齢
申請書配布	6月上旬	4月下旬	5月中旬
受付期間	6月上旬〜7月上旬	8月上旬〜8月下旬	6月中旬〜7月中旬
第1次試験	9月下旬	9月下旬	9月下旬
第1次試験内容	事務：教養＋作文 技術：教養＋専門	事務：教養 技術：教養＋専門	行政事務：教養
1次合格発表	10月中旬	10月上旬	10月上旬
第2次試験	10月中旬〜下旬	10月中旬〜下旬	10月下旬〜11月上旬
第2次試験内容	個別面接	全職種：作文，適性検査，人物試験	行政事務：作文，面接
最終合格発表	11月中旬	11月中旬	11月下旬
受験申込・問合せ先など	北海道人事委員会事務局任用課 〒060-8588　札幌市中央区北3条西7丁目 道庁別館 TEL 011（204）5654	宮城県人事委員会事務局 〒980-8570　仙台市青葉区本町三丁目8-1 TEL 022（211）3761	川崎市人事委員会事務局任用課 〒210-0006　川崎市川崎区砂子1-8-9 川崎御幸ビル8階 TEL 044（200）3343

募集先	東京23区（特別区）	神戸市	福岡県
受験資格年齢	特別区人事委員会が規定する年齢	神戸市人事委員会が規定する年齢	福岡県人事委員会が規定する年齢
申請書配布	6月下旬	7月下旬	7月中旬
受付期間	6月下旬〜7月中旬	7月下旬〜8月下旬	8月上旬〜中旬
第1次試験	9月上旬	9月上旬〜10月中旬	9月下旬
第1次試験内容	事務：教養＋作文	総合事務：適性検査，教養，面接，グループワーク	事務：教養 技術：教養＋専門
1次合格発表	10月中旬	10月上旬・下旬	10月上旬
第2次試験	10月下旬〜11月上旬	11月上旬	10月中旬〜11月上旬
第2次試験内容	口述試験	2次：面接，論文	作文，人物試験
最終合格発表	11月中旬	11月下旬	11月下旬
受験申込・問合せ先など	特別区人事委員会事務局任用課採用係 〒102-0072　千代田区飯田橋3-5-1 TEL 03（5210）9787	神戸市人事委員会 神戸市総合コールセンター TEL 0570-083330	福岡県人事委員会事務局任用課 〒812-8577　福岡市博多区東公園7-7 TEL 092（643）3956

※受験申込はインターネットでもできる自治体が増えてきました。各自治体のホームページを確認してください。
※申込受付期間が短い自治体がありますので，注意してください。

試験の傾向と対策

　地方初級，国家一般職・税務の教養試験（国家公務員は基礎能力試験）は
2種目です。知識分野（自然科学・人文科学・社会科学）は高校で学んだ教科
書レベルが基本です。したがって基本がしっかりできているかが大事です。一方，
知能分野（文章理解・判断推理・数的推理（空間把握含む）・資料解釈）は，
応用分野ですが，問題レベルは決して難しいものではないはずです。新聞や書
籍を読むことに慣れ，また市販の問題集で練習することが大事でしょう。
　ここでは，地方公務員・国家公務員の**過去に出題**された**試験の傾向**と**学習対
策**をまとめました。特に，科目で挙げた「**知識のタンス**」の内容は，教科書，
参考書で確認し，忘れていないかをチェックしてください。

★知識分野
(1) 政治

　日本国憲法, 国際関係, 地方自治制度, 人権など出題範囲は広い。基本は「**日
本国憲法**」と「**我が国の国会**」であるが，憲法条文の主要な点はしっかり理解
しておこう。また，出題内容にとまどわないようにするため，日ごろから新聞など
に目を通すことが大事である。

◇**日本国憲法の理解**：三権分立内容，国会・内閣の機能，選挙制度，法律改
　正事項，司法（裁判所）制度などが中心。各種の人権も重要項目である。

> ☞ **知識のタンス**：衆議院の先議権と優越，内閣不信任決議，衆議院の解散
> と総選挙，憲法改正の発議，比例代表制，違憲立法審査権，最高裁判所長
> 官，地方自治の解散・解職請求，条例の制定・改廃請求，基本的人権や各
> 種人権の内容，国連の歴史・構成国・主要組織と拘束力，欧州連合（EU），
> 東南アジア諸国連合（ASEAN），米国大統領制，英国議会制度

(2) 経済

　出題範囲は，市場経済の仕組み，会社・企業（株式会社制度）の設立内容，
金融の仕組みと政策，財政の仕組みや税制，日本銀行の金融政策，国際経済
体制（OECD，WTOなど），需要曲線と供給曲線の関係などである。

◇**財政と金融政策**：好・不況時の政府財政支出・社会保障制度，財政と金融
　の役割，日本銀行の金融政策などが代表的。

◇**市場経済の仕組み**：完全競争市場と寡占市場の価格と需要の関係，企業と消
　費者行動などはよく出題される。第二次世界大戦後の日本の市場経済の動き
　などもマーク。

(3) 社会・情報

　社会は平均的に1問で，「政治」の分野と関連が深い。女性の労働環境や，
子どもを巡る虐待や待機児童などの問題，人口や環境問題など，その時々の時
事的な問題からの出題が多い。また，情報化社会や科学技術の動向など，幅広
い分野への関心が求められる。情報は，2進法や論理回路など，基礎的な事項
を押さえる。

(4) 日本史

　出題はどの時代も対象となっており，的は絞れない。時代の流れを縦軸また
は横軸にして**テーマ別**に**時系列表**（例）を作っていくと関連がわかりやすい。
◇**テーマ別理解**：歴史上の争乱（承久の乱，壬申の乱，応仁の乱など），法令（十七
条憲法，大宝律令，御成敗式目など），政治制度や情勢（院政，鎌倉幕府か
ら室町・安土桃山時代，江戸幕府など），文化・宗教（飛鳥・奈良・平安時代，
仏教，キリスト教の流れなど）の年代別，背景，関連した人物をつかむ。

（例）		
➡1338 室町幕府	足利尊氏	建武式目 (1336)，管領，鎌倉公方
➡1368	足利義満	倭寇，洪武帝
		五山・十刹の制，臨済宗
➡		北山文化→金閣寺，能，世阿弥
➡1404		日明貿易，勘合貿易
➡1449	足利義政	
➡1467 応仁の乱		足利義視（細川勝元）
➡ （11年間）		足利義尚（山名持豊）
➡		戦国時代→下剋上　北条早雲
➡		東山文化→銀閣寺，書院造，水墨画

(5) 世界史

　日本史と同様に範囲は広い。出題は**古代〜近世**が中心となるが，地域をヨーロッパ，中国，アジア，アメリカなどに分けて，その歴史を**年代順**に**時系列**にして覚えると理解が深まる。出題数は多くはないが，第一次・第二次世界大戦の各国，戦後世界の動きも押さえておきたい。以下は，出題のテーマや問題の肢として必ず出てくる事項である。

> ☞ **知識のタンス1**：ヨーロッパ：（**古代**）ギリシア，ローマとキリスト教，ミラノ勅令　（**中世**）宗教対立，十字軍，荘園制，百年戦争とバラ戦争（**近世**）大航海時代（ポルトガル，スペイン），イタリア・ルネサンス，宗教改革，（**近代**）イギリスの絶対王政，イギリス市民革命，アメリカ独立革命，フランス革命，ナポレオン時代（**19世紀以降**）ウイーン体制，ナポレオン3世，イギリスの選挙法，ビスマルク，アメリカ南北戦争，イギリスの植民地支配と帝国主義，アフリカ分割，第一次世界大戦，ロシア革命，ヴェルサイユ体制，世界恐慌，第二次世界大戦，国際連合，冷戦，キューバ危機，ベトナム戦争
> ☞ **知識のタンス2**：中国：**秦**（始皇帝，焚書坑儒），**前漢**（高祖，武帝），**後漢**（光武帝），**隋**（文帝，煬帝，科挙，大運河），**唐**（李淵，太宗，律令国家，荘園），**宋**（趙匡胤，朱子学，印刷など新技術），**元**（フビライ，大都，交鈔），**明**（朱元璋，陽明学），**清**（ヌルハチ，華僑，アヘン戦争，三角貿易，アロー戦争，太平天国の乱）
> ☞ **知識のタンス3**：エーゲ文明，ポリス，マケドニア王国，インダス文明，ウマイヤ朝，アッバース朝，レコンキスタ，ゲルマン民族の移動，オスマン帝国，ムガール帝国，マヤ・アステカ文明，インカ帝国，ロマノフ王朝，東インド会社

(6) 地理

　出題内容は世界をテーマにしたものが，かなりのウェートを占めている。日本では「水系の境界線」に関するものが出たが，地形（三角州や扇状地など）の特色と場所は覚えておきたい。また地図の図法（メルカトル図法，クード図法，ボンヌ図法など）の特徴も押さえたい。

> ☞ **知識のタンス**：各国民族と宗教・言語，農業・鉱業製品の産出国と割合，主要国の輸出入内訳（貿易統計），人口問題，土壌の特色，気候帯の分布とその特色，著名な工業地帯，湖の分布，国と首都の位置など

(7) 文学・芸術

> ☞ **知識のタンス**：（**文学**）外国文学，日本文学を問わず，作家と作品名の組合せ。難問として有名な文章や書き出しと作者名の組合せなど。現代・古典を問わない。（**芸術**）西洋美術・絵画，日本画などで，掲載図から作品名や作者などの組合せを問う問題があり，有名な作品は覚えておきたい。

(8) 国語

言葉を正しく覚えておく。使い方を間違えていたりする語句やまぎらわしい言葉・用字で失点しないことが大事。新聞や書籍で慣れておきたい。

> ☞ **知識のタンス**：「言葉」の使い方，意味，書き方：漢字，四字熟語，ことわざ，慣用句，格言

(9) 数学

数学Ⅰ・A，数学Ⅱ・Bの基本が理解できていれば難問は出題されないと考えてよい。以下の内容を幅広く繰り返し学習すれば解けるものばかりである。図形では，中学の範囲もあり，基礎的な部分は確実に覚えて正確に計算することが求められる。

> ☞ **知識のタンス**：2次方程式の解，2次不等式の大小の領域・求め方，2次関数のグラフの最大値・最小値の解き方。（図形）三平方の定理，相似

(10) 物理

力学問題が中心：物体の運動，「ばね」を利用した力と運動の法則といった問題がよく出る。運動方程式，力学基本の3公式，等加速度直線運動，フックの法則，エネルギー保存の法則，運動量保存の法則など押さえておきたい。

> ☞ **知識のタンス**：電気と磁気（電気回路，消費電力，電流（フレミングの法則，右ねじの法則）），音・波の性質

(11) 化学

出題が多い分野は，物質の分離，原子構造，物質と水との性質や状態，原子やイオン間の化学結合，エタノールやマグネシウムなどの化学反応，酸化還元反応などは必須。化学反応式の問題では，代表的な化学式の物質名がすぐわかる（例えば Na_2CO_3 は炭酸ナトリウムなどまで覚えている）と問題の理解に強みだろう。

> ☞ **知識のタンス**：（計算式）水溶液のpH，化学反応による体積，溶液の濃度，熱量など

(12) 生物

出題は基本的に1問なので，以下の内容を重点的に学習するのが効率的である。

> ☞ **知識のタンス**：各細胞の特徴と働き，植物遺伝子の交配，身体の構造・機能，神経・分泌液・臓器の血糖濃度調節，ホルモンの作用。自律神経・栄養素の働き，生物の環境保護，地球温暖化関連分野

(13) 地学

　天文分野からの出題が多い。地球と太陽の働き・関係，地球の自転・公転，太陽系の惑星，恒星の明るさ，ケプラーの法則，各大気圏の特徴，エネルギーや熱放射など押さえておこう。

> ☞ **知識のタンス**：前線と天気，日本付近の気象・気圧配置，地震の原因や影響，各種の岩石

★知能分野

(14) 現代文

　出題は4～5題，文章理解を中心に文章整序，空欄補充の3項目。問題・選択肢ともいずれも長文のため，特に文章理解では日ごろの理解力や慣れが必要である。

◇**文章理解**：「内容一致」を選択肢から求めるものが主流。誤りの選択肢には，**内容と関係ないもの，書き込みがない（述べていない）**ものなどが，さりげなく入っていることに気がつけばシメタもの。選択肢の該当する部分がどの段落・節かを見つけて，前後の文章をしっかり読み取ろう。

◇**文章整序**：選択肢を頼りに，まず**正解にならないもの**を省いていく。段落整序では末尾の文と次の段落の冒頭文との間に**考えられる語句や表現**を検討していくのが早道である。

◇**空欄補充**：選択肢の単語や語句が文章上同じような意味合いで使われ，誤りを誘う設定になっている。これに惑わされず，選択肢の語句で，ある該当部分では**使われない，文章にならないもの**があるのをまず見つける。

> ☞ **知識のタンス**：（誤りを見つける方法）文章を読みながら，「～とあるが～ではない」「～とは言ってはいない。～に対応する言葉はない」という否定の内容判断をする手法を用いてみよう。

(15) 古文・漢文

　古文の出題対象は，高校時代に学んだ著名な古典文学が中心。難しい内容と決めてかからず文章もそれほど長くはないので，内容の理解に努めることである。旧使いの単語や言い回し，文法などを理解しておくことが大事である。

　漢文の問題はまれに出題がある。しかし，文章が非常に短く理解の可能な内容であるから，苦手意識を持たず，「日本語を読む」といった考えで臨めば負担は少ないだろう。

(16) 英語

　英語は文章理解が中心で内容一致問題が主流である。文章量もそれほど長くはなく，難しい単語などは意味が書き出してある。単語がいくつかわからなくて

も全体の文章は訳せるという内容になっている。過去に、「ことわざ」との一致を求める問題が出たことがあるが、これも国語でその意味を学習していれば解ける内容といえよう。

> ☞ **知識のタンス**:問題の狙いは、訳ができることより、文章の理解であるから、選択肢の正しいものを選ぶより、**誤りがわかる**ことが大事になる。これは「現代文」と共通で「内容に関係ないもの、述べられていないもの」の理解ができれば対応できる。日常の学習として、できれば英字新聞や簡単な英文雑誌などに目を通すことができればよいだろう。

(17) 判断推理・空間把握

　教科書があるわけではないので、問題数が多いだけに、市販の問題集で数をこなすこと、「習う(学ぶ)より慣れろ!」が大事である。

◇**判断推理**:命題など条件からの選択・整合、順序、配置・位置、時刻、うそ、カードゲームといった問題になる。推理の要素であるから、与えられた条件を、表や図式化して「確実にいえること」を探る。

◇**空間把握**:図形や立方体の切断、移動、回転(軌跡)、結合(組合せ)、個数の問題から出題される。

(18) 数的推理

　算数・数学の応用問題である。通過算、覆面算、旅人算、仕事算から整数、方程式・不等式、n進法、三平方の定理、円周、速さ・時間・距離、確率、濃度、割合、組合せ、図形といった内容が出題される。高校までに学んだことが応用できれば違和感なく解けるので、市販の問題集で慣れることが大事である。

(19) 資料解釈

　社会統計などを利用した実績表(年度別・地域別・項目別など)、各分野の特色などを利用した棒グラフと折れ線グラフ・円グラフ、分布図、時刻表などを使った問題である。

　表やグラフからの読み取りが求められるので、数値、量などの変化、統計の相関関係の把握、最大・最少値、ヒストグラムの内容把握など出題意図を的確につかむことが大事になる。解答の過程では割合、平均値、増減などの計算も要求されることがあるが難しいものではない。

★適性試験はスピードが大事

　国家一般職(事務)・税務では**必須試験**である。地方初級では青森、福井など数県で実施されている。希望する自治体の試験案内で確認してみよう。**職務上の事務処理能力を問う試験**で、比較的簡単な問題を時間内でできるだけ多く解答する。択一式で類例の問題を見ながら解答するのが一般的であるが、120題で解答時間15分というのが共通した内容となっている。

★作文試験は理解力と表現力

　作文試験は1次試験で実施するのが大部分である。ポイントは，公務員として必要な**「課題に対する理解力」**，**「文章による表現力」**などについて所定の行数（800字〜1000字程度）でまとめることが問われる。

　50分〜1時間半程度の指定時間内で，①問題テーマに対して**自分の考え**（問題を理解した自分の意見）を具体的にまとめる，②**起承転結**のはっきりした文章にまとめる，この2点が大事となる。試験では，自分の考えがどれだけ**相手に伝わるように表現**できているかが判定材料となる。作文試験はほぼ必須であるから，慣れるためにも受験対策として新聞の見出しなどを使って，書く練習をすることが大事である。次に挙げたものは，過去の地方初級で出題された問題テーマである。参考に練習してみよう。

> ・北海道：この一年で最も関心を持った出来事をあげ，そのことについて，あなたの考えを述べなさい。
> ・岡山県：あなたが関心を持っている環境問題を1つ挙げ，その問題に対してどのような取組が必要か述べなさい。

★面接試験

　面接試験は，公務員試験では必ず行われる。大部分が2次試験で，1次試験合格者に対して行われる。個別面接や集団面接だが，主流は個別面接である。面接官を前にしていろいろな角度から質問されることをしっかり受け答えできるかがポイントとなる。

　その範囲は，①志望動機，②公務員としてやりたいこと，③学生時代，クラブ活動，思い出，④家族，友人，⑤過去の経験，アルバイト，学んだこと，⑥読んだ小説，感想・考えたこと，⑦最近の出来事で思ったこと，⑧自分の性格，自分の欠点，得意なこと，自慢できること，⑨趣味など，あらゆる分野に及ぶ。難解な質問はないが，予想していなかった質問を受けることもある。

　これらをまとめてみると，**「性格」「協調性」「積極性」**といった人物評価と，**「志望動機」「職業への目的・意欲」**といった意識評価が問われるようである。したがって，例えば職場の同僚・住民との協調性が保たれるかなどといった，公務員として不可欠な要素は質問された返事の中でアピールできなければならない。自分が意見を述べている間，面接官は，自己の意見を持っているか，協調性のある人間か，積極的な人間かなどを判断・採点している。

　面接試験に受験勉強というものはないが，筆記試験とはまた違った**「自分を整理して考える」**準備はして，自分の個性を訴えられるようにしたいものである。

性格
協調性
積極性
志望動機
目的・意欲

● も く じ ●

◇知識分野

政　治………19

経　済………33

社会・情報………47

日本史………61

世界史………75

政治

我が国の国会

 重要度 A

次の A ～ E の記述のうち，我が国の国会に関する記述として妥当なもののみをすべて挙げているのはどれか。

A 常会（通常国会）は，毎年 1 回召集されることになっている。

B 内閣は広く行政権の行使について，国会に対して連帯責任を負っている。

C 法律案については，予算と同様に衆議院に先議権がある。

D 国会での法律案の審議に当たっては，一般市民の代表者や学識経験者の意見を聴取する公聴会を必ず開くことになっている。

E 内閣に対する不信任決議案が参議院で可決され，衆議院で否決された場合は，意見の一致を図るため両院協議会が開かれる。

1 A，B

2 A，D

3 B，C

4 B，E

5 C，D

解答欄

解 説 1

A ○ 常会は**毎年 1 回**召集され（憲法 52 条），**1 月中**に召集するのを常例としている（国会法 2 条）。主に予算案と予算関連法案が重要な議案となる。

B ○ **議院内閣制**により，行政権の監視を果たそうとする目的がある。

C × **予算**については**衆議院に先議権がある**（憲法 60 条 1 項）が，**法律案**については**衆議院に先議権は認められていない**。

D × 総予算及び重要な歳入法案においては，**公聴会の開催義務がある**と規定している（国会法 51 条 2 項）が，すべての**法律案**について，公聴会の開催を**義務付けているわけではない**。

E × 内閣不信任決議案が**参議院で可決**されたとしても，それは法的拘束力を伴ったものではなく，単に内閣の政治責任を追及する問責決議にすぎない。また，**衆参どちらの不信任決議**にしても，両院の議決の一致を要する**国会決議ではないので，両院協議会の対象案件とはならない**。

以上から，正しいのは **1** である。

解答 1

政治

No. 2　　　　　　　　アメリカ合衆国の政治体制　　　　(**B**) 重要度

アメリカ合衆国の政治体制に関する記述として最も妥当なのはどれか。

1 連邦議会は，各州の人口に比例して議席が割り当てられる上院と，各州から2名ずつ選出される議員で構成される下院との二院から成る。

2 上院の被選挙権は30歳以上，下院の被選挙権は25歳以上の市民に与えられ，選挙権は20歳以上の市民に与えられる。

3 大統領は連邦議会における法案提出権を有しないが，議会に対し教書を送って立法の勧告を行い，この勧告に従わない場合には，議会を解散できる。

4 大統領選挙では，有権者は直接，大統領を選挙するのではなく，大統領選挙人を選挙し，この選挙人が大統領を選挙する間接選挙の仕組みをとっている。

5 連邦裁判所の判事は大統領から任命されるため，司法権の独立性が低く，連邦裁判所は法令や行政処分の内容が憲法に違反していないかどうかを審査する権限は有していない。

解答欄 [　　　　　]

解説 2

1× 上院と下院の**説明が逆**である。

2× **被選挙権**についての記述は正しいが，**選挙権**についての記述は誤り。合衆国憲法は，18歳以上のすべての国民に，連邦，州，地方レベルの選挙で投票する権利を保障している。

3× 前半部分の記述は正しいが，後半部分の記述は誤り。アメリカ合衆国の大統領制は厳格な三権分立制をとるため，大統領には議会を解散できる**権限がない**。

4○ アメリカ合衆国の大統領選挙は，法制上は，一般国民である有権者が大統領選挙人を選出し，大統領選挙人が大統領を選出する**間接選挙**を採用している。

5× 連邦裁判所の判事は大統領が**指名**し，**上院がこれを承認**することによって任命される。また，司法権の独立性が高く，法令や行政処分の内容が憲法に違反していないかどうかを審査する**権限（法令審査権または違憲立法審査権）**を有する。

解答 **4**

憲法改正と法律事項

次のA～Eの記述のうち，我が国で実施するに当たり憲法改正が必要とされるもののみをすべて挙げているのはどれか。

A 国会議員を選出する選挙権を18歳以上の国民に与えること。

B 国会を衆議院のみの一院制にすること。

C 国民が内閣総理大臣を直接選挙により指名すること。

D 国会議員でない文民を国務大臣として内閣総理大臣が任命すること。

E 炭素税などの環境税を新設すること。

1 A，D
2 A，E
3 B，C
4 B，E
5 C，D

解答欄

解 説 3

A× 国会議員を選出する選挙人の資格は**法律事項**であるから（憲法44条），**法律を改正**するだけでよい。

B〇 憲法は42条で**二院制**を定めているから，**参議院を廃止し，衆議院のみの一院制**にするためには**憲法改正が必要**である。

C〇 内閣総理大臣は国会が指名する**首班指名選挙**によって選ばれるから（憲法67条1項），内閣総理大臣を国民の直接選挙で選ぶためには**憲法改正が必要である**。

D× 国会議員でない文民を国務大臣として任命することは，国務大臣の**過半数は国会議員**でなければならないとする要件（憲法68条1項）に**抵触しない限り問題がない**。

E× 炭素税などの環境新税を創設することは**法律事項**であり（憲法84条），**法律を改正**するだけでよい。

以上から，正しいのは**3**である。

解答　3

政治 No. 4　我が国の選挙制度 重要度

政治
経済
社会情報
日本史
世界史
地理
文学芸術
国語
数学
物理
化学
生物
地学
英語
現代文古文
資料解釈
判断空間把握
数的推理

我が国の選挙制度に関する記述として最も妥当なのはどれか。

1　日本の参議院議員通常選挙では，都道府県を単位とする選挙区選挙と比例代表制選挙がとられており，政党に所属する候補者は，重複して立候補できる。

2　日本の衆議院議員総選挙で採用している小選挙区制は，議員定数が多い場合には，必然的に選挙区の数も多くなり，1票の格差が生じやすいなどの欠点がある。

3　日本の参議院議員通常選挙では，都道府県を単位とする選挙区選挙と比例代表制選挙がとられており，このうち比例代表制選挙では，拘束名簿式比例代表制を採用している。

4　日本の衆議院議員総選挙では，小選挙区比例代表並立制がとられ，また，同制度の特徴といえる重複立候補については，いかに得票数が少なくても，候補者が比例代表で当選できる。

5　中央選挙管理会は，国・地方すべての選挙事務の管理・監督を行う行政委員として市町村ごとに設置されており，住民投票の事務なども管理する。

解答欄

解説　4

1×　参議院議員通常選挙では，**選挙区**選挙と**比例代表制**選挙がとられているが，**衆議院**とは異なり，**重複して立候補することはできない**。

2○　小選挙区制は1選挙区から1人の議員を選出する選挙制度だが，**選挙区の数が多い場合**には，1票の格差が**生じやすいこと**が挙げられている。

3×　**参議院**議員通常選挙で採用している比例代表制は，**非拘束名簿式**である。**拘束名簿式**は，**衆議院**議員総選挙で採用している比例代表制である。なお，2019年の参議院議員選挙からは，比例代表制に**拘束名簿式**の「特定枠」が新設される。

4×　衆議院議員総選挙では，小選挙区で落選した候補者でも，比例代表で当選するという「復活当選」が認められているが，小選挙区における得票率が**あまりに低い候補者**については，平成12（2000）年の公職選挙法の改正により，**復活当選は認められなくなった**（同法95条の2第6項）。

5×　中央選挙管理会が，**すべての選挙事務を取り扱っているわけではない**。選挙に関しては，衆議院議員総選挙及び参議院議員通常選挙における比例区及び最高裁判所裁判官国民審査に関する総合事務を取り扱っている。

解答　2

公共の福祉による制約

次の文のA〜Cに入る語句の組合せとして最も妥当なのはどれか。

日本国憲法における（　A　）とは，人が社会生活を送る上での制約である。つまり，人権間の相互衝突の調整原理として働く。この（　A　）によって，基本的人権に対する法律の規制が可能になる。基本的人権の中には，職業選択の自由などの（　B　）自由権のように（　A　）による制約を強く受けるものと，表現の自由などの（　C　）自由権のように必要最小限度の制約しか受けないものがある。

	A	B	C
1	公共の福祉	精神的	経済的
2	公共の福祉	経済的	精神的
3	公共の利益	身体的	精神的
4	公共の利益	精神的	経済的
5	公共の利益	経済的	精神的

解答欄 _____

解説　5

A　「**公共の福祉**」は人権間の相互衝突の調整原理として働く。もし，各個人が勝手気ままにその権利の行使を主張すれば，社会生活は円滑に営めないからである。

B　特に他の人権と衝突を引き起こしやすい**経済的**自由権については，他の人権との調整でその制約を強く受ける。社会秩序維持の観点から必要最小限度の制約にとどまる場合もあるが，福祉国家を実現するために，**必要な限度**で制約を加えることができる。

C　**精神的**自由権の中の思想及び良心の自由については，それが内心にとどまる限り，他の人権との衝突を引き起こさないので，制約することは許されない。表現の自由は衝突を引き起こす可能性があるが，調整するにあたって**必要最小限度**の制約しか許されない。表現の自由は，民主主義の基盤となる人権だからである。

以上から，正しい組合せは**2**である。

解答　2

政治

| No. | 6 | 新しい人権 | Ⓐ 重要度 |

我が国における新しい人権に関する記述として最も妥当なのはどれか。

1 情報を受け取るだけではなく，受け取った情報に反論し，番組・紙面に参加する権利（アクセス権）が，憲法13条の幸福追求権を根拠として主張されている。

2 興味本位な私事の公開から個人の生活を守るために，プライバシーの権利が憲法21条の表現の自由を根拠として主張され，広く国民に認められている。

3 良好な環境を保持・享受できる環境権が，憲法13条の幸福追求権と25条の生存権を根拠として主張されている。

4 国家や報道機関の保持する情報を公開させる国民の知る権利が，憲法16条の請願権を根拠として主張され，最高裁判所によって認められている。

5 自己決定権は，一定の私的事柄について，公権力から干渉されることなく，自ら決定することができる権利とされるが，その根拠は憲法25条の生存権である。

解答欄

解 説 6

新しい人権は，憲法14条以下の基本的人権として，規定されていない権利である。新しい人権が登場してきた背景には，社会の変化や人々の人権に対する意識の高まりがある。

1× **アクセス権**の意味としては妥当であるが，条文上の根拠は憲法**21条の表現の自由**である。なお，今日**アクセス権**は様々な意味をもつ語句として使用されている。情報開示請求権や著作権上の権利，個人の障害・移動能力，住んでいる地域にかかわらず公共交通などによる移動の権利としても使用されている。

2× **プライバシーの権利**の意味としては妥当であるが，条文上の根拠は憲法**13条の幸福追求権**として主張されている。

3○ **環境権**の意味・根拠の記述とも正しい。

4× 国民の**知る権利**は，憲法**21条**の**表現の自由**を根拠としている。

5× **自己決定権**の意味としては妥当であるが，条文上の根拠は憲法**13条の幸福追求権**とされている。

解答 3

No. 7　日本国憲法に定める基本的人権

日本国憲法に定める基本的人権に関する記述として最も妥当なのはどれか。

1　憲法は，すべての国民にその能力に応じて，等しく教育を受ける権利を保障するとともに，この権利を実現するため，義務教育の無償を定めている。

2　財産権の内容は法律によって自由に定めることができるから，政府は公共のためであれば私有財産をいつでも無償で使用することができる。

3　職業選択の自由は，いかなる場合においても最大限の尊重を必要とすることから，就職・就業に際して特定の資格要件を求めることは許されない。

4　労働者の権利を具体的に保護するため，さまざまな法制度が整備されているが，そのうちいわゆる労働三法とは，労働組合法・労働基準法・労働安全衛生法の3つを指す。

5　女子差別撤廃条約批准のために制定された男女雇用機会均等法では，男女同数を雇用することが事業主に義務付けられている。

解答欄

解説　7

1○　日本国憲法26条1項・同条2項で**定められている**。なお，義務教育の無償とは，公立小中学校の**授業料**を無償とする意味である。

2×　財産権の内容は公共の福祉に適合するように定めなければならず，私有財産を公共のために用いるときには「**正当な補償」が必要**である（憲法29条2項・同条3項）。

3×　職業選択の自由は**経済的自由権**に属し，精神的自由権と比較すれば，他の人権との調整でその制約が強く働く。それゆえ，就職・就業に際して特定の資格要件を求めることは**許される**。医師や弁護士などの職業に一定の資格要件を課するのは，このような例である。

4×　労働三法とは，**労働組合法・労働基準法・労働関係調整法**である。**労働安全衛生法**は，労働者の働く環境を守るために，最低限の基準を定めた法律である。

5×　**前半部分の記述は妥当**であるが，男女雇用機会均等法は事業主に男女同数雇用の**義務を課してはいない**。

解答　1

政治

No. **8**

基本的人権の種別

重要度 Ⓐ

政治
経済
社会情報
日本史
世界史
地理
文学芸術
国語
数学
物理
化学
生物
地学
英語
現代文古文
資料解釈
判断推理空間把握
数的推理

次のA〜Eは，日本国憲法の基本的人権に関する記述であるが，このうち自由権，社会権，参政権に該当するものの組合せとして妥当なのはどれか。

A 財産権は，これを侵してはならない。

B 何人も，宗教上の行為，祝典，儀式又は行事に参加することを強制されない。

C すべて国民は，その能力に応じて，ひとしく教育を受ける権利を有する。

D 公務員を選定し，及びこれを罷免することは，国民固有の権利である。

E すべて国民は，健康で文化的な最低限度の生活を営む権利を有する。

	自由権	社会権	参政権
1	A	C	B
2	A	B	D
3	A	E	C
4	B	A	D
5	B	E	D

解答欄

解説 8

日本国憲法で定められた基本的人権は，自由権・平等権・社会権・参政権・請求権（受益権）に分類されるのが一般的である。さらに，自由権は精神的自由権・身体的自由権・経済的自由権の3つに分類されている。以下，A〜Eを分類していく。

A **財産権の保障**（憲法29条1項）は**経済的自由権**に属する。

B 宗教的行為への参加を強制されない自由（憲法20条2項）は，**信教の自由**（同法20条1項）の一つであり，**精神的自由権**に属する。

C **教育を受ける権利**（憲法26条1項）は**社会権**に属する。

D 公務員の**選定罷免権**（憲法15条1項）は**参政権**に属する。

E **生存権**（憲法25条1項）は**社会権**に属する。

以上から，**A**と**B**が自由権，**C**と**E**が社会権，**D**が参政権となり，正しい組合せは**5**となる。

解答 5

政 治

No. 9 | **国際連合** | 重要度

国際連合（国連）に関する記述として最も妥当なのはどれか。

1 第一次世界大戦を契機に設立，当初の加盟国は 51 か国であったが，現在ではスイスや北朝鮮など少数の国を除いた大部分の国が加盟する普遍的国際組織である。

2 主要機関として総会や安全保障理事会などがある。また，世界保健機関（WHO）や国連児童基金（UNICEF）なども国際連合の機関である。

3 国連憲章で，国際平和維持のため，加盟国が武力行使を行うことを全面的に禁止する一方で，湾岸戦争のときのように，国連軍を派遣して軍事的措置をとることを認めている。

4 事務局はニューヨークに置かれ，1 人の事務総長及びその機構が必要とする職員で構成されている。事務総長は，安全保障理事会が任命する。

5 国連憲章で，NGO との協力について定めている。NGO は，全主要機関への参加及び投票権が認められ，他の国際組織とともに国際協力活動に取り組んでいる。

解答欄

解 説　9

1 × 国際連合は**第二次**世界大戦を契機に創設された。また，北朝鮮は 1991 年，永世中立国のスイスも 2002 年に加盟している。発足当初は 51 か国の加盟国であったが，2018 年現在 193 か国が加盟している。

2 ○ **総会・安全保障理事会・経済社会理事会・信託統治理事会・国際司法裁判所・事務局**は**国際連合**の主要機関であり，世界保健機関（WHO）と国連児童基金（UNICEF）も国際連合の機関である。

3 × 国連軍は国連憲章に基づいて設けられるが，今日まで正規の常備軍としては設けられたことはない。湾岸戦争では**多国籍軍**として派遣された。また，小規模な国際紛争では，**国際平和維持軍（PKF）**として編成されている。

4 × 事務総長は安全保障理事会が**任命するのではなく**，安全保障理事会の勧告に基づいて**総会が任命**する。

5 × 国連憲章で NGO との関係を規定しているが，NGO に全主要機関の参加及び投票権が**認められているわけではない**。経済社会理事会との協議資格を得られた NGO が，国連の国際会議に**オブザーバー**として**参加できるにすぎない**。

解答　2

政治

No.10 第二次世界大戦後の世界 **B** 重要度

政治
経済
社会情報
日本史
世界史
地理
文学芸術
国語
数学
物理
化学
生物
地学
英語
現代文古文
資料解釈
判断推理
数的推理

第二次世界大戦後の国際政治上の出来事に関する記述として正しいのはどれか。

1 国際平和の維持を目的として国際連合が結成されたが，東西冷戦が深刻化したため，米国及びソ連は，朝鮮戦争が休戦となるまで国際連合に加盟しなかった。

2 東欧諸国に社会主義政権が次々と誕生すると，警戒感を高めた西欧諸国及び米国は北大西洋条約機構を結成し，ソ連に対する集団防衛体制を構築した。

3 1950年代，インドネシアのバンドンで開催されたアジア・アフリカ会議では，反植民地主義と民族自決，平和共存などを目指して「平和五原則」が宣言された。

4 米ソの対立は局地的には戦火を交えることもあり，1960年代にはソ連製ミサイルの配備を防ぐため，米軍はキューバに侵攻し，ソ連軍との間で2年間にも及ぶ戦闘が行われた。

5 東西ドイツの統一を契機に，ソ連で始まったペレストロイカは，東欧諸国に民主化・自由化をもたらし，その結果ソ連は消滅し，米ソ二極体制は終結した。

解答欄

解 説 10

1× 米国とソ連は，国際連合の**原加盟国**であり，**当初から参加**している。

2○ **北大西洋条約機構（NATO）**は，東欧諸国に社会主義政権が続々と誕生していくことに脅威を覚えた**米国と西欧諸国**が，**ソ連**に対抗するために結成した軍事同盟である。これに対し，**ソ連**を中心にした社会主義陣営は，1955年に**ワルシャワ条約機構（WTO）**を結成したが，1991年解体した。

3× 1955年にアジア・アフリカ会議で採択された原則は**平和十原則**である。**平和五原則**は中国の周恩来首相とインドのネルー首相の会談に基づき，1954年に発表された共同声明の中で合意した原則である。**平和十原則**は**平和五原則**を踏まえた内容となっている。

4× 米国とキューバとの間では，1961年に米国がカストロ政権の打倒を企てたが，失敗に終わった（ピッグス湾事件）。翌年（1962年）には，**キューバ危機**が起こり，米ソの全面核戦争が危惧されたが，両首脳の判断で回避された。

5× ペレストロイカと東西ドイツ統一の**順序が逆**である。ソ連のペレストロイカの開始は**1985年**，東西ドイツの統一は**その5年後の1990年**の出来事である。

解答 2

(★は関連用語)
(「政治」の問題は一部,「倫理・社会」の問題を含みます)

政　治

空欄にあてはまる語句を書きなさい。

1　（　　）は社会契約説に立ちながら,自然状態を「万人の万人に対する闘争」の状態が果てしなく続くと考え,結局,専制君主制にたどり着いた。

2　（　　）は著書『社会契約論』において,国家主権を社会契約によって形成される一般意志に基づくものとし,直接民主制による政治を唱えた。

3　（　　）は著書『統治二論』において,人民が相互に契約を結んで自然権を政府に信託し,政府が信託に反した場合には,預けた権利を政府から取り返せると考えた。

4　（　　）は著書『法の精神』において,ロックの権力分立論を発展させて三権分立制を提唱した。

5　国家の三要素とは,領域・（　　）・（　　）である。

6　マックス・ヴェーバーの3類型とは,（　　）的支配・カリスマ的支配・（　　）的支配である。

7　（　　）国家論とは,国家は他の社会集団と並列的に存在するものであるが,集団間の利害と機能の調整的役割を担っている点で優位性があるとする。

8　アメリカの大統領は,議会に対し（　　）を出して立法の勧告を行い,議会を通過した法案に対しては（　　）権をもつ。

9　イギリスの下院議員は全員,（　　）制選挙で選出される。

10　フランスの大統領制は,大統領制と議院内閣制の中間の（　　）制という形態で作り上げられている。

○ 正 解 ○

1　ホッブズ
　　★著書『リヴァイアサン』

2　ルソー
　　★人民主権

3　ロック

4　モンテスキュー

5　主権　国民（順不同）

6　伝統　合法（順不同）

7　多元的
　　★マッキーバー,ラスキ

8　教書　拒否
　　★大統領制

9　小選挙区

10　半大統領

政治

問題	○ 正　解 ○
11 （　　）政党制は，世論の変化による政権交代の可能性が高いが，国民の政策選択の余地が限定される。	11 二大
12 （　　）党制は，国民各層の意見を反映できるという長所があるが，連立を組む少数党の離反があると，不安定な政権運営となる。	12 多
13 日本では1993年の総選挙以来，自由民主党（　　）政権から（　　）政権の時代に入っていった。	13 単独　連立
14 日本でも政権交替可能な二大政党制を目指して，衆議院に従来の中選挙区制から（　　）制を導入し，候補者の重複立候補を可能としている。	14 小選挙区比例代表並立
15 1789年に制定された（　　）は，国民主権・権力分立・人権保障を盛り込んだ宣言文書である。	15 フランス人権宣言
16 名誉革命後の1689年に制定された（　　）は，議会の国王に対する優越を認めた宣言文書である。	16 権利（の）章典
17 1919年に制定された（　　）は，生存権を保障した世界初の憲法であった。	17 ワイマール憲法
18 法に基づく政治でも，イギリスで発達したのが（　　）という考え方であり，ドイツで発達したのが（　　）という考え方である。	18 法の支配　法治主義
19 大日本帝国憲法では，国民の権利に関して，「法律の範囲内」に制約する（　　）を認めていた。	19 法律の留保
20 日本国憲法における人権制約の根拠となる（　　）の意味は，人権間の相互衝突がある場合に，社会秩序維持の観点から調整することである。	20 公共の福祉

経済　社会情報　日本史　世界史　地理　文学芸術　国語　数学　物理　化学　生物　地学　英語　現代文古文　資料解釈　論理論証論述　数的推理

21 近年，（　　）の権利は，自己に関する情報の流れをコントロールする権利として把握されている。

21 プライバシー

22 日本国憲法第9条において，（　　）の放棄，（　　）の不保持，（　　）権の否認を定め，国家による戦争の発動に対して徹底した歯止めをかけた。

22 戦争　戦力　交戦
★非核三原則，武器輸出三原則

23 国会は（　　）の中から内閣総理大臣を指名する。

23 国会議員

24 国会は裁判官を罷免するために，（　　）を設置できる。

24 弾劾裁判所

25 国会は国権の（　　）機関であり，国の唯一の（　　）機関である。

25 最高　立法

26 内閣は行政権の行使につき，国会に対し（　　）して責任を負う。

26 連帯
★議院内閣制

27 衆議院の解散による総選挙が行われた後に召集される国会は，（　　）である。

27 特別会（特別国会）

28 内閣の意思決定は原則非公開の（　　）でなされ，その決定方式は慣行上（　　）である。

28 閣議　全会一致

29 高度な政治性を有する国家行為，いわゆる（　　）については，高度の政治性を有するがゆえに司法審査の対象から除外される。

29 統治行為
★砂川事件，苫米地事件

30 条例の制定・改廃請求は，有権者の（　　）分の1以上の署名を要する。

30 50
★イニシアチブ

31 地方議員・首長等の解職請求には，原則として有権者の（　　）分の1以上の署名を要する。

31 3
★リコール

経済

▶ 知識分野

経済学者と経済原論

 重要度

次の文の A ～ D に入るものの組合せとして最も妥当なのはどれか。

（ A ）は，その代表的著書（ B ）の中で，非自発的失業が含まれたままでも，市場の均衡が成立することを明らかにした。その上で，完全雇用を実現するためには，政府が（ C ）である（ D ）あるいは消費を増加させて，完全雇用を実現する水準まで国民所得を増大させる必要性の理論的根拠を提示した。

	A	B	C	D
1	ケインズ	『雇用・利子および貨幣の一般理論』	有効需要	投資
2	マルクス	『資本論』	有効需要	貯蓄
3	スミス	『国富論』	総需要	投資
4	リカード	『経済学および課税の原理』	総供給	貯蓄
5	フリードマン	『選択の自由』	総供給	投資

解答欄

解説 11

A **ケインズ**：古典派経済学では，自発的失業と摩擦的失業の存在は認めているが，非自発的失業の存在は認めていなかった。市場の均衡は，完全雇用を前提にしていたからである。これに対し，**ケインズは非自発的失業が含まれたままでも，市場の均衡が成立する**ことを明らかにした。

B 『**雇用・利子および貨幣の一般理論**』：**ケインズの代表的著書である**。問題の，他の経済学者と著書の関係も正しい。

C **有効需要**：貨幣による購買力を伴った需要である。

D **投資**：貨幣による購買力を伴った需要とは，**消費と投資**である。

なお，**マルクス**は**マルクス経済学**の始祖，**スミス**と**リカード**は**古典派経済学者**，**フリードマン**は**マネタリズム**を主張して，**ケインズ経済学を批判した**経済学者。

以上から，組合せとして正しいのは**1**である。

解答　1

経済

No. **12** | 市場経済の仕組み

政治 / 経済 / 社会情報 / 日本史 / 世界史 / 地理 / 文学芸術 / 国語 / 数学 / 物理 / 化学 / 生物 / 地学 / 英語 / 現代文古文 / 資料解釈 / 論理空間把握 / 数的推理

市場経済の仕組みに関する記述として最も妥当なのはどれか。

1 完全競争市場の下では，財の価格はその財に対する需要と供給の関係で決まるが，サービスの価格は市場が存在しないため需要と供給の関係では決まらない。

2 完全競争市場のもとでは，一般的に，ある商品の価格が下がると企業は利益の低下を防ぐために生産量を増やす。

3 完全競争市場の下では，一般的に，ある商品の価格が上がると消費者はさらなる価格の上昇を懸念して需要量を拡大する。

4 少数の大企業が市場を支配するようになると，独占や寡占の状態がみられるようになるが，そのような市場でも，価格の自動調節機能は完全に働いている。

5 寡占市場においては，有力な企業がプライス・リーダー（価格先導者）となって価格を設定し，他の企業がそれに追随する傾向がみられる。

解答欄

解 説 12

1 × **財だけではなく，サービスについても**市場における取引対象となる。モノではなく，効用や満足などを提供する商品である。

2 × 一般的に商品**価格が下がる**と，企業は価格を安定させるために，**生産量を減らす**行動をとる。**生産量を増加**させると，市場に大量の商品が供給されて，**値崩れ**が起こりやすくなる。

3 × 一般的に商品の**価格が上がる**と，消費者は**買い控える**ので，企業の**需要量は減少**する。

4 × 少数の大企業が市場を支配する独占あるいは寡占市場になると，企業間の競争が起こらなくなるので，企業は**生産量を調節**して**価格を維持**または**吊り上げる**ことができる。つまり，価格の**自動調節機能は働かなくなる**。

5 ○ **寡占市場**においては，市場支配力をもつ最も有力な企業がプライス・リーダーとして一定の利潤が確保できるよう**価格を設定**し，その他の企業がそれに**追随**する傾向がみられる。これを**管理価格**という。

解答 **5**

需要曲線と供給曲線

　図は，完全な自由競争が行われている市場における，ある商品の需要曲線及び供給曲線を示したものである。いま，この商品の市場での価格が 11 万円であるとき，この商品の市場における状態に関する記述として最も妥当なのはどれか。

1　約 3 万台不足している。
2　約 3 万台売れ残っている。
3　約 6 万台不足している。
4　約 6 万台売れ残っている。
5　約 9 万台売れ残っている。

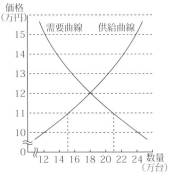

解答欄

解　説　13

　この商品の**均衡価格**は 12 万円，**均衡取引数量**は 18 万台である。市場価格がこの**均衡価格**よりも**安ければ**，需要量が供給量を上回っており，**供給不足（品薄）**となっている。したがって，この需給ギャップが埋まるまで，価格は上昇し続けることになる。もし，市場価格がこの**均衡価格**よりも**高ければ**，供給量が需要量を上回っており，**供給過多（需要不足）**となっている。この需給ギャップが埋まるまで，価格は下落し続けることになる。これが価格決定のメカニズムである。

　市場価格が 11 万円のとき，需要曲線上の生産数は 21 万台である。これに対し，供給曲線上の生産数は **15 万台**である。つまり，**6 万台の不足**となる。この供給不足分を埋めるために，**均衡価格**に達するまで価格が上昇し続けることになる。

　以上のように，需要曲線・供給曲線の図が出題された場合には，固定されている価格・数量の値から，水平あるいは垂直方向に線を引くことで，需給ギャップを確認していくことができる。

解答　　3

政治
経済
社会情報
日本史
世界史
地理
文学芸術
国語
数学
物理
化学
生物
地学
英語
現代文古文
資料解釈
判断推理空間把握
数的推理

経済

No.14

株式会社制度

 重要度

我が国の株式会社制度に関する記述として妥当なもののみをすべて挙げているのはどれか。

A　株式会社は，所有と経営の分離が進んだ企業形態である。

B　株式会社が負った債務を会社財産では弁済しきれなかった場合，株主は，自分の個人財産を追加的に出資してその債務を弁済する責任を持つ。

C　株式会社は，株式の発行を通じて多くの人から資金を集め，大きな規模の経済活動をすることができる。

D　株主は，株主総会において，剰余金の配当や残余財産分配の決定に関する事項についての議決権を持つが，株主の側から議案を提出することはできない。

1　A，B
2　A，C
3　B，D
4　C
5　D

解答欄

解説 14

A○　株式会社は，**多数の社員（出資者）を募った大規模企業**を予定したものであり，社員たる地位を均一な割合的単位である株式に細分化し，社員の責任を出資額の限度に制限している。そのため，株主の多くは経営に関心が薄いため，**会社を経営の専門家たる取締役や執行役に委任**し，所有（株主）と経営（取締役・執行役）の**分離・分担**を原則としている。

B×　株主は，たとえ会社が倒産したとしても，会社債権者から株式取得時に対価として支払った金額を超えた責任を**追及されることはない（間接有限責任）**。

C○　Aの記述を参照。

D×　株主総会における剰余金の配当や残余財産分配の決定に関する事項については，株主の重大な利害に関する事項であるから，株主**自らが議案を提案し，提出できる**。

以上から，組合せとして正しいのは**2**である。

解答　2

経 済

No.15　金融の仕組み

 重要度 A

次の文のA〜Dに入る語句の組合せとして最も妥当なのはどれか。

金融とは，経済活動に必要な資金の貸借をいうが，外部資金の調達には2つの方式がある。企業が株式や社債を発行し，証券会社などを通じて資金供給者である個人や企業がこれを引き受ける（　A　）と，銀行などの金融機関に預け入れられた預金が，企業に貸し出される（　B　）である。

また，銀行は，現金を預金として受け入れると，全体で最初の預金額の何倍もの預金が創出される（　C　）を行う。そのメカニズムは，預金の一部を（　D　）として保有し，残りを貸し出しに回して，これを繰り返すことにより行われる。

	A	B	C	D
1	間接金融	直接金融	信用創造	当座預金
2	間接金融	直接金融	公開市場操作	支払準備金
3	間接金融	直接金融	預金準備率操作	支払準備金
4	直接金融	間接金融	公開市場操作	当座預金
5	直接金融	間接金融	信用創造	支払準備金

解答欄

解 説 15

A　**直接金融**：借り手と貸し手の間に，金融仲介機関が**介在しない取引**。具体例としては，株式や社債による資金調達が挙げられる。借り手が債務を返さないリスクは，貸し手（個人や企業）が負う。

B　**間接金融**：借り手と貸し手の間に，金融仲介機関が**介在する取引**。具体例としては，銀行からの借入金が挙げられる。借り手が債務を返さないというリスクは，貸し手（個人や企業）ではなく銀行が負う。

C　**信用創造**：預金者から現金で銀行に預けられる最初の預金のことを**本源的預金**といい，**本源的預金**をもとに信用創造されたお金のことを**派生的預金**という。

D　**支払準備金**：銀行は預金者が預金を払い戻す場合を想定して，預金の一定割合の現金を日本銀行に預けて置くことが義務付けられている。したがって，この**支払準備金の割合（支払準備率）**が引き上げられると，**派生的預金**つまり**信用創造される金額は減少する**ことになる。

以上から，語句の組合せとして正しいのは**5**である。

解答　5

38

経 済
No. **16**

財政の仕組み

政治
経済
社会情報
日本史
世界史
地理
文学芸術
国語
数学
物理
化学
生物
地学
英語
現代文古文
資料解釈
判断推理空間把握
数的推理

財政の仕組みに関する記述として最も妥当なのはどれか。

1 財政投融資は，政府が資金を市場から調達するために毎年立てる予算であるが，2000年の法律改正により廃止され，郵便貯金などの積立金を原資として供給する政府関係機関予算に変更された。

2 消費税が生活必需品に課税される場合には，消費税が生活必需品ではないものに課税される場合と比べて，より大きな所得の再分配機能を有するので，所得の不平等を是正できる。

3 社会保障制度は，不況期に失業保険などの給付の増加を通じて景気の落ち込みを防ぐように機能するが，財政制度におけるこのような経済安定化の仕組みをビルト・イン・スタビライザーという。

4 我が国の租税収入に占める直接税と間接税の割合についてみると，国税では2019年現在，直接税が約4割，間接税が約6割の割合となっている。また，近年，直接税の割合が上昇してきている。

5 フィスカル・ポリシーとは政府が財政支出を操作することによって景気調整を行うことであり，一般的に，好況期は不況期よりも財政支出を増加させて経済の持続的拡大を図ろうとする。

解答欄

解 説 16

1 × 財政投融資自体は**予算ではない**。その原資は，平成12（2000）年の法律改正以前は**年金基金や郵便貯金**であったが，**現在は債券**（財投債・財投機関債・政府保証債）を発行することで，市場から資金を調達するようになった。

2 × 低所得の世帯ほど生活必需品への**支出割合が高い**ので，消費税の**負担は重くなる**（逆進性）。それゆえ，所得の不平等は**是正できない**。

3 ○ **ビルト・イン・スタビライザー**とは，財政の中にあらかじめ組み込まれた制度で，**景気を自動的に安定させる装置**のこと。歳入面では**累進課税制度**，歳出面では**社会保障制度**が挙げられている。

4 × 日本の国税における直接税と間接税の比率は，令和元（2019）年度予算額で**58:42**となっている。シャウプ勧告以降，長らく**直接税**主体の税制であったが，近年，**間接税**の割合が**上昇**している。

5 × 前半部分の記述は妥当であるが，**好況期には財政支出を抑制・増税**して，景気の過熱を防ぐ。財政支出を**増加**させるのは**不況期**である。

解答　**3**

日本銀行の金融政策

次の文のA～Eに当てはまる語句の組合せとして最も妥当なのはどれか。

日本銀行が,（　A　）のために行う経済政策を金融政策という。金融政策とは,（　B　）などの手段を用いて,金融市場における（　C　）の形成に影響を及ぼし,通貨および金融の調節を行うことである。

通貨量を増やして（　C　）を下げることを（　D　）といい,（　E　）のときにとられる政策である。

	A	B	C	D	E
1	経済成長	公開市場操作	価格	金融緩和	好景気
2	物価の安定	公開市場操作	金利	金融緩和	不景気
3	物価の安定	財政支出	金利	金融引き締め	不景気
4	経済成長	財政支出	金利	金融引き締め	好景気
5	経済成長	公開市場操作	価格	金融引き締め	好景気

解答欄

解 説 **17**

A　**物価の安定**：金融政策とは,**物価の安定**のために行われる日銀の経済政策である。政府が施す経済政策は,**財政政策**という。

B　**公開市場操作**：日銀が国債などの**有価証券**を売買することをいう。買いオペレーション（国債等を市中銀行から**買う**）では,市中の通貨量が**増え**,金利が下がる。**売りオペレーション**（国債等を市中銀行に**売る**）では,市中の通貨量が**減り**,金利が上がる。

C　**金利**：金利が下がると,お金を借りやすくなり,経済活動が活発になるとされる。

D　**金融緩和**：**デフレーション**（**不景気**）のときにとられる政策である。**インフレーション**（**好景気**）のときには,**金融引き締め**政策がとられる。金融緩和は,円安の一因ともなる。

E　**不景気**：不景気のときには,市中に出回る通貨量が**減少**し,物価も**下落**して**デフレーション**に陥る。

以上から,組合せとして正しいのは**2**である。

解答　　2

経 済
No.**18**　　　　　　　**国民所得**　　　重要度

国民所得に関する記述として最も妥当なのはどれか。

1　国内総生産（GDP）とは，国内で新たに生産された付加価値の総額であり，国内での総生産額から中間生産物の価額を差し引いたものである。

2　国民純生産（NNP）とは，GDP から減価償却費を差し引いたものである。

3　国民所得（NI）とは，NNP から間接税と補助金を差し引いたものである。

4　国民総生産（GNP）には，海外からの純所得は含まない。

5　GDP には，海外の企業が日本国内で生産した付加価値の総額は含まない。

解答欄

解 説 18

1○　総生産額から**中間生産物**を差し引くのは，重複計算を避けるためである。

2×　国民純生産（NNP）とは，**GNP** から減価償却費を差し引いたものである。

3×　国民所得（NI）とは，NNP から間接税を**差し引き**，補助金を**加えた**ものである。

4×　国民総生産（GNP）は，**GDP** に海外からの純所得を加えたものである。

5×　GDP には，海外の企業が日本国内で生産した付加価値の総額を**含む**。

解答　　1

➕プラス知識
国内総生産（GDP）＝ 1 年間の国内総生産額－中間生産物の総額
国民総生産（GNP）＝ **GDP ＋海外からの純所得**
国民純生産（NNP）＝ **GNP －減価償却費**（資本減耗引当）
国民所得（NI）＝ **NNP －間接税＋補助金**

第二次世界大戦後の日本経済

重要度

　第二次世界大戦以降の我が国の経済の歩みに関する記述として最も妥当なのはどれか。

1　政府は大戦終了直後から，戦後復興のために石炭・鉄鋼・電力などの基幹産業への傾斜生産方式を採用したが，朝鮮戦争による海上封鎖で輸入資源が途絶し，深刻な物不足に陥った。

2　1950年代半ばから1960年代初頭にかけて，年率10％を超える高度経済成長を持続したが，1960年代初頭の急激な円高によって円高不況に陥った。

3　1970年代前半の第一次石油危機による原油価格の高騰は，我が国に物価の急上昇や買いだめなどの混乱を引き起こし，実質経済成長率は戦後初のマイナスとなった。

4　1980年代半ばの先進主要国によるプラザ合意は，我が国に急激な円安をもたらし輸出産業が空前の活況を示す一方，消費者物価の上昇率は年率10％を超える水準に達した。

5　1980年代後半から1990年代初頭にかけて，いわゆるバブル経済と呼ばれる高い成長を維持したが，その後は不景気とインフレーションが共存する状態へ移行した。

解答欄

解説 19

1×　前半部分の記述は妥当であるが，その資金を復興債券の発行でまかなった結果，インフレを引き起こしたので，**ドッジ・ライン**による金融引き締め政策に入った。また，朝鮮戦争は日本に**特需**をもたらしている。

2×　日本経済が飛躍的に成長を遂げた時期は，**1955年から1973年**までの18年間である。なお，1964年〜1965年の不況は，証券不況と呼ばれるものである。

3○　1974年の不況は，**第一次石油危機（ショック）** による経済的混乱を収めるために，政府が総需要抑制政策，日本銀行が金融引き締め政策をとったことによる。

4×　1985年の**プラザ合意**以降の3年間，**円高が進行**して，日本の輸出関連産業は**打撃を受けた**。

5×　**プラザ合意**以降の**円高**不況は，政府による大型の公共事業と減税の実施，日本銀行による金融緩和をもたらした。その結果，余剰資金が株や不動産の投機に回されたために，**バブル**景気となった。また，**バブル**崩壊後は，不景気と**デフレーション**が共存する状態に入った。

解答　**3**

経 済

No.20　国際経済体制　重要度 B

経済

次のA〜Eのうち，第二次世界大戦後から1940年代末までの間の国際経済体制に関する記述として妥当なもののみをすべて挙げているのはどれか。

A　プラザ合意に基づき，米・英・西独・仏・日が，為替市場でドル売りの協調介入を行った。

B　ブレトン・ウッズ協定に基づいて，国際通貨基金（IMF）と国際復興開発銀行（IBRD）が設立された。

C　貿易・資本・労働の移動を自由化し，市場統合を実現するために欧州共同体（EC）や北米自由貿易協定（NAFTA）が発足した。

D　社会主義国間の分業を目的とした経済相互援助会議（COMECON）が，計画経済から市場経済へ移行するために解散された。

E　貿易に対する制限の撤廃と貿易促進を目的として，関税および貿易に関する一般協定（GATT）が成立した。

1　A，C　　　　　　　　**2**　A，E
3　B，D　　　　　　　　**4**　B，E
5　C，D

解答欄

解 説 20

A×　プラザ合意は**1985**年に行われた。当時の米国は，**財政赤字**と**貿易赤字**という，いわゆる「双子の赤字」を抱えており，**ドル安**への誘導がなされた。

B○　大戦後の復興策の一環として，ブレトン・ウッズ協定に基づいて，**1946**年に**国際通貨基金**（**IMF**）と**国際復興開発銀行**（**IBRD**）が創設された。

C×　**1967**年に，欧州石炭鉄鋼共同体（ECSC）・欧州経済共同体（EEC）・欧州原子力共同体（Euratom）の3つの共同体の行政執行機関と意思決定機関がそれぞれ統合されて，**欧州共同体**（**EC**）が設立された。**北米自由貿易協定**（**NAFTA**）の発足は**1994**年である。

D×　経済相互援助会議（COMECON）は，**1949**年，マーシャル・プランに対抗するために，ソ連と東欧諸国を中心とした社会主義諸国の経済協力機構として結成されたが，冷戦終結に伴い，**1991**年に解散した。

E○　関税および貿易に関する一般協定（**GATT**）は，ブレトン・ウッズ体制の枠組みとして，**多国間協定**により**1947**年調印，翌**1948**年に発足した。

以上から，組合せとして正しいのは**4**である。

解答　　4

フォローアップ

（★は関連用語）

経　済

空欄にあてはまる語句を書きなさい。

○ 正　解 ○

1　（　　）とは財・サービスの買い手と売り手が出会って，自由に売買を行う場である。

1　市場
　　★市場経済

2　縦軸を価格，横軸を数量とした図で表すと，（　　）曲線は右上がりの曲線となる。

2　供給

3　縦軸を価格，横軸を数量とした図で表すと，（　　）曲線は右下がりの曲線となる。

3　需要

4　需要量が供給量を上回れば，価格は（　　）する。

4　上昇

5　供給量が需要量を上回れば，価格は（　　）する。

5　下落

6　価格の自動調節機能を神の「見えざる手」にたとえた経済学者は，（　　）である。

6　アダム・スミス
　　★経済学の父

7　バターとマーガリンは（　　）財，バターとパンは（　　）財の関係にある。

7　代替　補完

8　寡占市場においては，市場支配力をもつ最も有力な企業が（　　）として一定の利潤が確保できるよう価格を設定し，その他の企業がそれに追随する傾向がある。

8　プライス・リーダー
　　★価格の下方硬直性

9　（　　）は，公共性の高い分野に長期にわたり資金を融資するもので，その規模は大きく，第二の予算とも呼ばれている。

9　財政投融資
　　★国会の議決が必要

10　直接税と間接税の比率で見ていくと，日本では戦後のシャウプ勧告以降，（　　）税中心の税体系としてきた。

10　直接

11　直接税と間接税を比較すると，（　　）税ならば，製品やサービスに課せられた税金分を他に転嫁できる特徴がある。

11　間接

問題	○ 正 解 ○
12 消費税は低所得の世帯ほど生活必需品への支出割合が（ ）なり，負担が（ ）なる。	12 高く　重く ★逆進性
13 財政には景気調整の他に，（ ）と資源配分の機能がある。	13 所得再分配
14 敗戦後，政府は物不足解消のため（ ）方式を採用して基幹産業の生産増強を図った。	14 傾斜生産
15 悪性インフレを収束するために，GHQから日本政府に（ ）・ラインが示された。	15 ドッジ
16 1960年，（ ）内閣は10年間で国民所得が2倍になるように，国民所得倍増計画を打ち出した。	16 池田（勇人）
17 1985年の（ ）合意以降の円高不況は，政府支出の増加，金融緩和をもたらし，余剰資金が株や不動産，財テク，地上げの投機に回されたために，（ ）景気となった。	17 プラザ　バブル
18 日本経済が飛躍的に成長を遂げた時期は，1955年から73年までの18年間であり，神武・（ ）・オリンピック・いざなぎ景気と呼ばれる大型景気が続いた。	18 岩戸 ★いざなみ景気（2002〜2007年）が戦後最長
19 （ ）金融は，株式や社債による資金調達に見られるように，借り手と貸し手の間に，金融仲介機関が介在しない取引をいう。	19 直接
20 （ ）金融は，銀行からの借入金に見られるように，借り手と貸し手の間に，金融仲介機関が介在する取引をいう。	20 間接

政治
経済
社会
情報
日本史
世界史
地理
文学
芸術
国語
数学
物理
化学
生物
地学
英語
現代文
古文
資料
解釈
総論
問題
数的
推理

問題	○ 正 解 ○
21 銀行は，現金を預金として受け入れると，全体で最初の預金額の何倍もの預金が創出される（　　）を行う。	21 信用創造
22 銀行は預金者が預金を払い戻す場合を想定して，預金の一定割合の現金である（　　）を日本銀行に預けて置くことが義務付けられている。	22 支払準備金（準備預金）
23 金融自由化以前の日本の政策金利は（　　）であったが，現在の日本の政策金利は（　　）金融市場の金利である。	23 公定歩合　短期
24 公開市場操作の（　　）オペは，市場の余剰資金を吸収し，金融引き締め政策となる。	24 売り
25 公開市場操作の（　　）オペは，市場に資金を供給する金融緩和政策となる。	25 買い
26 日本の輸出が増加すると，円に対する需要が高まり（　　）となる。	26 円高
27 日本の海外投資が増加すると，資本が流出して（　　）となる。	27 円安
28 リカードは貿易の利益を，（　　）説を用いて説いた。	28 比較生産費 ★自由貿易論
29 第二次世界大戦後，長らく固定相場制を維持してきた（　　）体制は，1971 年のニクソン・ショックにより終焉を迎えた。	29 ブレトン・ウッズ ★金とドルの交換停止措置
30 ニクソン・ショック後，（　　）協定でドルの切り下げと固定相場の変動幅を決めたが，結局維持できず，（　　）相場制へと移行していった。	30 スミソニアン　変動

社会情報

知識分野

近代の政治思想

次のA～Cの記述と，近代の政治思想家の組合せとして最も妥当なのはどれか。

A　国家権力を立法権・行政権・司法権の三権に分離し，それぞれを別個の機関
に受けもたせて，相互の抑制と均衡をはかろうと考えた。

B　法の支配を強調し，国王の権力の行使を制限して国民の権利を守るために，
国王といえども法に従うべきであるとした。

C　人間の本性は自己保存の欲求と利己心の主体であり，国家は諸個人が自然法
に従い，自らの自然権を放棄するという相互契約によって成立すると考えた。

	A	B	C
1	クック（コーク）	ロック	ルソー
2	モンテスキュー	クック（コーク）	ホッブズ
3	ロック	クック（コーク）	ホッブズ
4	クック（コーク）	モンテスキュー	ロック
5	モンテスキュー	ロック	ルソー

解答欄

解説 21

A　**モンテスキュー**である。立憲政治の必要性と，**ロック**の権力分立論を発展さ
せて，**三権分立制**を提唱した。**ロック**の権力分立論は，時代的な制約もあっ
て行政権と司法権がまだ分離されていない。**ロック**も国家権力を立法権，執
行権（司法権を含む），同盟権（外交権）の３つに分けてはいたが，執行権と
同盟権は今日の行政権にあたる。

B　**クック（コーク）**である。17世紀のイギリスの裁判官で，13世紀の裁判官
である**ブラクトン**のことば「国王といえども神と法の下にある」を引用した。
権力者の上に法があるという意味で，法の支配の考え方を端的に示している。

C　**ホッブズ**である。彼は人間の本性を自己保存の欲求と利己心の主体であると
し，自然状態を**「万人の万人に対する闘争」**の状態が果てしなく続くと考え，
結局，個人の生存を守るためには，国家権力の絶対性を肯定し，専制政治を
認めざるをえなかった。

以上から，組合せとして正しいのは**2**である。

解答　　2

政治

経済

社会
情報

日本史

世界史

地理

文学
芸術

国語

数学

物理

化学

生物

地学

英語

現代文
古文

資料
解釈

判断推理
空間把握

数的
推理

社会・情報
No. 22 　　　　　　　　　　**防衛機制** 　　　　　　　　 **B** 重要度

次の防衛機制の具体例A～Dとその名称の組合せとして最も妥当なのはどれか。

A　自分がある人物になったつもりになり，その人物が危機に立てば自分もドキドキする。

B　恋人を失ったとき，自分の情熱を学問や芸術に置きかえる。

C　自分の好きな人に冷たく接したり，臆病なのに強気な態度をとったりする。

D　負け惜しみによる自己満足や，やせ我慢をする。

	A	B	C	D
1	同一化	合理化	昇　華	反動形成
2	同一化	昇　華	反動形成	合理化
3	同一化	反動形成	昇　華	合理化
4	反動形成	合理化	同一化	昇　華
5	反動形成	昇　華	合理化	同一化

解答欄 _____

解　説　22

防衛機制とは不安や葛藤などから，心理的な安定を保とうとする無意識な心の仕組みである。

A　**同一化**の説明である。**同一視**ともいう。自分以外のものに自分の姿を重ねることによって，自分にできないことを達成しようとする仕組みである。

B　**昇華**の説明である。現実の社会で認められない欲求を，学問や芸術といったより高い価値を実現することで**解消**しようとする仕組みである。

C　**反動形成**の説明である。**抑圧されたもの**と正反対のものを意識に持とうとする仕組みである。なお，**抑圧**は自分の受け入れがたい思考や感情，記憶などを無意識に締め出そうとする防衛機制の一つである。嫌なことがあって，それを忘れようとするのが，その具体例である。

D　**合理化**の説明である。欲求が満たされない場合に，もっともらしい理由をつけて**自分を正当化**しようとする仕組みである。

以上から，組合せとして正しいのは **2** である。

解答　　2

個人情報保護法

 重要度 A

個人情報保護法においては，個人情報を取り扱う事業者に対して，①利用目的の通知・公表，②第三者提供の制限，③本人の請求に応じた情報開示などを義務付けている。次のA～Dの記述のうち，これらの義務規定の適用されない事業者の組合せとして正しいものはどれか。

A 報道機関
B 警察・外務・防衛関係の行政機関
C 特定非営利活動法人などの非営利団体
D 著述を業として行う者

1 A，B
2 A，C
3 A，D
4 B，C
5 C，D

解答欄

解 説 23

個人情報保護法（「個人情報の保護に関する法律」）には，**個人情報取扱事業者の義務**が記されている。プライバシーの権利が自己に関する情報の流れを把握する権利であることに対応して，個人情報が**不正に流用・利用される**ことを防止する目的で規定されている。そのために，①利用目的の通知・公表（同法21条・32条），②第三者提供の制限（同法27条），③本人の請求に応じた情報開示（同法33条）などを義務付けている。

しかし，個人情報取扱事業者が，**マスコミ・著述業関係，宗教団体や政治団体**であり，それぞれ，報道・著述，宗教活動，政治活動の目的で個人情報を利用する場合には，個人情報取扱事業者の義務の適用を受けないとされている（同法57条）。これは，表現の自由等を制約するおそれがあるという強い反対論に基づいて設けられた規定である。

以上から，義務規定が適用されない事業者は，**報道機関**と**著述を業として行う者**となるから，組合せとして正しいのは**3**である。

解答 3

社会・情報

No. 24 社会保障制度 重要度

政治
経済
社会情報
日本史
世界史
地理
文学芸術
国語
数学
物理
化学
生物
地学
英語
現代文古文
資料解釈
判断推理空間把握
数的推理

社会保障制度に関するA〜Dの記述のうち，妥当なもののみをすべて挙げているのはどれか。

A 社会保障制度は，社会保険・公的扶助・公衆衛生・社会福祉の4つの柱から成り立っている。

B 我が国の公的な年金制度については，国民皆年金が徹底しており，給付を受けられないという人は法律上存在しない。

C 我が国の公的扶助は，あくまで自立支援の目的で支給されるので，自立できたら受給額の一部を返還する必要がある。

D 1942年にイギリスで発表されたベバリッジ報告は，世界で初めて全国民を対象とした社会保障制度を提示したものであった。

1 A，B

2 A，C

3 A，D

4 B，C

5 C，D

解答欄

解 説 24

A ○ 日本の社会保障制度は，**社会保険**（医療保険・年金・雇用保険・介護保険・労働者災害補償保険），**公的扶助**（生活保護），**公衆衛生**（下水道の整備・感染症予防・食品衛生など），**社会福祉**（老人福祉・障害者福祉・児童福祉など）の4本の柱で成り立っている。

B × **公的年金**は一定期間保険料を**支払わなければ**，原則として受給資格が**ないため**，給付を受けられない人**も存在する**。

C × **公的扶助**とは国などの公的機関が，生活困窮者に対して最低限度の生活を保障するために，経済的援助を行う制度である。我が国では生活保護がそれに該当するが，**自立しても受給額を返還する必要はない**。

D ○ これより以前の社会保障は，貧困者救済や労働者対策の域を出ず，全国民を対象としたものではなかった。以後，**ベバリッジ報告**に基づく社会保障の制度化が**世界各国に普及**することになる。

以上から，正しいのは**3**である。

解答 3

環境とリサイクル

我が国の近年における環境やリサイクルに関する記述として最も妥当なのはどれか。

1 石綿（アスベスト）に関し，労働安全衛生法や大気汚染防止法，廃棄物の処理及び清掃に関する法律などで飛散防止等の措置を講じ，大量のアスベストを吸入しないようにしている。

2 我が国では紙の再資源化率が世界でもかなり低かったが，古紙相場の急騰により古紙回収業者が増加し，今まで有料であった回収もすべて無料となった。

3 ダイオキシンは強い毒性を持つとされていたが，水に溶けやすく体内には蓄積されにくいことが判明したため，その排出量の規制が緩和された。

4 環境アセスメント（環境影響評価）法が成立したが，これは鉄道や空港などの開発事業の完了後にその環境影響を評価するもので，国の法制化を受けて地方公共団体もこれに追随する動きがある。

5 大気汚染の原因となる物質の排出規制が厳しくなっているので，現在は酸性雨の降る可能性はないとされている。

解答欄

解 説 25

1○ 石綿（アスベスト）は長く**断熱材などの建築材料**に使用されていたが，その繊維が，肺線維症（じん肺），悪性中皮腫の原因になるといわれ，肺がんを起こす可能性がある。

2× OECD（経済協力開発機構）の統計では，我が国の廃棄物リサイクル率としての数字は，OECD 加盟国の中でも高い。2003 年の統計で，紙・ボール紙は 66％の数字を残している。一方，**古紙回収量が高止まり**のために，再生紙の原料となる**古紙の価格は低迷**している。

3× 前半部分の記述は妥当だが，体内で分解されにくく，さまざまな健康障害を引き起こす。それゆえ，排出量の規制も**緩和されていない**。

4× 環境アセスメントは，開発事業を実施する際，その事業による環境への影響を「**事前**」に調査・評価するものである。また，**国の法制化**よりも先に，**地方公共団体**がアセスメント条例を制定している。

5× **酸性雨の原因**となる**二酸化窒素**（NO_2）の大気中濃度は依然として高い。したがって，今後も酸性雨の降る可能性は否定できない。

解答 1

社会・情報

No. 26 世界の人口・食糧問題 Ⓐ 重要度

世界の人口問題と食糧問題に関する記述として妥当なもののみをすべて挙げているのはどれか。

A　途上国では近代医療の導入によって,「多産多死」から「多産少死」に移行したため,急激な人口増加と食糧不足の危機に陥っている。

B　食糧の増産は主に耕地面積の増加によって達成されたが,日本やイギリス,フランスなどの先進国では農業の衰退によって耕地面積が減少し,穀物自給率は50%以下まで低下している。

C　とうもろこしなどの作物を,本来の食用・飼料用以外の用途であるバイオエタノールの原料とすることは,国際的な合意で禁止されている。

D　先進国では余った食品が捨てられ,途上国では飢餓人口が増えているという「食の不均衡」が問題になっている。

1　A, B　　　　　　　**2**　A, D
3　B, D　　　　　　　**4**　B, C
5　C, D

解答欄 ☐

解説 26

A ○　このような急激な人口増加を**人口爆発**と呼ぶ。選択肢で挙げている医療の発達の他に,穀物の増産や都市化などの要因が合わさって,**人口爆発**を引き起こしていると考えられている。世界の人口は増え続ける傾向にあるが,地域的にみると**アフリカ**地域の増加率が高い。

B ×　**日本**だけが,穀物自給率が**低下**し,低迷している。**フランス**は自給率がもともと高かった国であるが,**イギリス**は政府の農業政策により自給率を高めている。

C ×　とうもろこしなどの作物は,近年,バイオエタノールの原料として注目されているが,現在まで国際的な合意で禁止されたという**事例はない**。

D ○　全世界で生産されている食品は,その**3分の1**が捨てられ,その量は年に13億トンあまりに達する。一方で,全人口81億1,900万人のうち**10人に1人**,最大7億8,300万人が飢えに苦しんでいる。

以上から,組合せとして正しいのは**2**である。

解答　2

2進法の表し方

10進法で表された数180は，2進法ではどのように表されるか。

1 10010100

2 10100010

3 10110100

4 11000100

5 11001010

解答欄

解説 27

10進法で表された数を2進法で表す場合は，その数を2でわっていき，その余りを商の後ろに並べていく。

```
2)180
2) 90  ……0
2) 45  ……0
2) 22  ……1
2) 11  ……0
2)  5  ……1
2)  2  ……1
    1  ……0
```

最後の商1から余りをさかのぼっていくと，2進法の表記となる。

したがって，正解は**3**の10110100である。

なお，8ビットで表すことのできる整数は，$2^8 - 1 = 255$までである。

解答　3

◆ 知識分野

社会・情報

No.**28** ## 2 進法から 10 進法への変換 Ⓑ 重要度

2 進法で表された数 10101000 を，10 進法で表した数はどれか。

1 178
2 168
3 165
4 150
5 148

解答欄

解 説 28

2 進法で表された数を 10 進法に変換する場合は，下の位から順に 2^0, 2^1, ……2^7 をかけて，その和を求める。なお，$2^0 = 1$ である。

したがって，2 進法の 10101000 は，10 進法では，$2^7 \times 1 + 2^5 \times 1 + 2^3 = 128 + 32 + 8 = 168$ である。

解答　2

➕プラス知識

16 進法の表記方法
16 進法で表記する場合は，1～9 までは 10 進法と同じで，10 進法の 10～15 まではアルファベットの **A**～**F** で表す。10 進法の 16 は 1 桁上がって **10** となる。

政治
経済
社会情報
日本史
世界史
地理
文学芸術
国語
数学
物理
化学
生物
地学
英語
現代文古文
資料解釈
判断推理空間把握
数的推理

論理回路（1）

 B 重要度

NAND 回路を表す記号として正しいものは，次のうちどれか。

1 A, B ──[D]── X

2 A, B ──[D]o── X

3 A, B ──[D]── X

4 A, B ──[D]o── X

5 A, B ──[D]── X

解答欄 [　　　　　]

解 説 29

　NAND 回路は**否定論理積回路**とも呼ばれ，論理積回路（AND 回路）の正反対となる。

　AND 回路では，A と B の両方から入力があった場合にのみ X に**出力がある**のに対し，NAND 回路では，A と B の両方から入力があった場合にのみ X に**出力がされない**。

　各選択肢の図記号は，次のとおり。

1 AND 回路（論理積回路）
2 NAND 回路（否定論理積回路）
3 OR 回路（論理和回路）
4 NOR 回路（否定論理和回路）
5 XOR 回路（排他的論理和回路）

解答　2

社会・情報

No.30 論理回路（2） Ⓑ 重要度

次の真理値表のうち，論理和回路に該当するものはどれか。

1

入力		出力
A	B	X
0	0	0
0	1	0
1	0	0
1	1	1

2

入力		出力
A	B	X
0	0	1
0	1	1
1	0	1
1	1	0

3

入力		出力
A	B	X
0	0	0
0	1	1
1	0	1
1	1	1

4

入力		出力
A	B	X
0	0	1
0	1	0
1	0	0
1	1	0

5

入力		出力
A	B	X
0	0	0
0	1	1
1	0	1
1	1	0

解答欄

● 解 説 30

1 × 論理積（**AND**）回路である。ＡとＢの両方から入力がある場合にのみ**出力される**。

2 × 否定論理積（**NAND**）回路である。ＡとＢの両方から入力がある場合にのみ**出力されない**。

3 ○ 論理和（**OR**）回路である。ＡとＢの両方から入力がない場合にのみ**出力されない**。

4 × 否定論理和（**NOR**）回路である。ＡとＢの両方から入力がない場合にのみ**出力される**。

5 × 排他的論理和（**XOR**）回路である。ＡとＢの両方から入力があるか入力がない場合には出力されず，**どちらか一方**から入力がある場合に出力される。

解答 3

政治
経済
社会情報
日本史
世界史
地理
文学芸術
国語
数学
物理
化学
生物
地学
英語
現代文古文
資料解釈
論理判断空間把握
数的推理

フォローアップ

(★は関連用語)

社会・情報

空欄にあてはまる語句を書きなさい。

1　（　　　）は「人間はポリス的動物である」と考え，ポリスにおける共同生活を成り立たせる徳である正義と友愛を重視した。

2　（　　　）は君子が為政者となり，その感化によって国家に秩序と調和がもたらされるという（　　　）主義を説いた。

3　（　　　）は利他心の欠如が社会の混乱の原因であるとして，自他を区別しない兼愛のもとに人々がたがいに利益をもたらし合う平等博愛の社会を説いた。

4　孟子は仁義に基づいて真に民衆の幸福をはかる（　　　）の政治を主張し，民意に背く君主は治者の地位から追放されるという（　　　）革命の説を唱えた。

5　「最大多数の最大幸福」は，イギリス功利主義の（　　　）の言葉である。

6　（　　　）は人間の作り出したシステムや生産諸関係が人間の手を離れ，逆に人間を敵対的に抑圧する状態，すなわち疎外が発生することを指摘した。

7　1972年にストックホルムで国連（　　　）会議が開催された。

8　1992年にリオデジャネイロで国連（　　　）会議が開催された。

9　四大公害裁判とは，イタイイタイ病・新潟（　　　）・四日市ぜんそく・熊本（　　　）裁判のことである。

10　労働三法とは，労働組合法・労働基準法・（　　　）である。

○ 正 解 ○

1　アリストテレス
　★プラトンの弟子

2　孔子　徳治
　★儒家の始祖

3　墨子
　★兼愛・非攻

4　王道　易姓
　★性善説

5　ベンサム
　★功利主義

6　マルクス
　★社会主義思想

7　人間環境
　★かけがえのない地球

8　環境開発
　★持続可能な開発

9　水俣病
　★1960年代の高度経済
　成長期

10　労働関係調整法

○ 正 解 ○

11　労働三権とは，（　　）・団体交渉権・団体行動
権（争議権）である。

11 団結権

12　不安や葛藤などから，心理的な安定を保とうと
する無意識な心の仕組みを（　　）という。

12 防衛機制
★フロイトの精神分析理論

13　1962 年，（　　）大統領によって，消費者
の（　　）つの権利が提唱された。

13 ケネディ　4
★消費者の権利確立

14　日本の独占禁止法の運用にあたっているのが，
（　　）である。

14 公正取引委員会

15　独占禁止法のモデルとなったのが，1890 年ア
メリカ合衆国で成立した（　　）法である。

15 シャーマン
★反トラスト法

16　社会保障制度は，社会保険・公的扶助・公衆衛生・
（　　）の 4 つの柱から成りたっている。

16 社会福祉

17　1942 年にイギリスで発表された（　　）報告は，
世界で初めて全国民を対象とした社会保障制度を
提示した。

17 ベバリッジ
★社会保障制度の構築

18　大恐慌後，アメリカ合衆国大統領フランクリン・
ルーズヴェルトによって実施された社会経済政策
が（　　）政策である。

18 ニューディール
★世界恐慌の克服

19　公的扶助の考えの源となったのが，貧窮者救済
のための（　　）救貧法の制定（1601 年）である。

19 エリザベス

20　社会保険制度のモデルとなったのが，ドイツ宰
相（　　）の社会保険 3 部作である。

20 ビスマルク

21　（　　）法はニューディール政策の一環として，
労働組合の団結権・団体交渉権・団体行動権等の
労働者の基本的権利を確立した。

22 ワグナー
**★タフトハートレー法は
労働者の権利を制限**

22　（　　）条約は、1971 年に採択された湿地に関する条約であり、正式名称を「特に水鳥の生息地として国際的に重要な湿地に関する条約」という。

23　（　　）条約は、1973 年に採択された、絶滅のおそれのある野生動植物の保護をはかることを目的とする条約である。

24　（　　）条約の下で、1987 年に「オゾン層を破壊する物質に関するモントリオール議定書」が採択された。

25　2015 年に、気候変動枠組条約第 21 回締約国会議（COP21）において、（　　）協定が採択された。

26　（　　）とは、2015 年の国連サミットで採択された「持続可能な開発のための 2030 アジェンダ」に記載された「持続可能な開発目標」の略称である。

27　（　　）とは、製品の製造時に使う資源の量や、廃棄物の発生を減らすことである。

28　（　　）とは、使用済み製品やその部品等を再利用することである。

29　（　　）とは、廃棄物等を原材料やエネルギー源として有効利用することである。

30　公的機関等に登録・公開されている人や法人、土地・建物等に関する基本データを（　　）という。

○ 正　解 ○

22 ラムサール

23 ワシントン

24 ウィーン

25 パリ
★温室効果ガス排出削減

26 SDGs

27 リデュース

28 リユース

29 リサイクル
★リサイクル法

30 ベース・レジストリ
★レジストリカタログ

日本史

知識分野

日本史

No. 31　　20 世紀前半の我が国の情勢　　重要度

我が国の 20 世紀前半の記述として最も妥当なのはどれか。

1　日露戦争におけるミッドウェイ海戦の勝利の後，ロシアとポーツマス条約を結んだが，戦争による犠牲が大きかったにもかかわらず賠償金を得ただけで，領土の拡大が実現せず各地で講和反対の機運が高まった。

2　第一次世界大戦が勃発すると，日英同盟に基づいて，日本はイギリス・フランスなど連合国側に立ってドイツに宣戦布告し，青島を攻撃するなどした。

3　第一次世界大戦終結直後にアメリカで始まった世界恐慌により，日本経済も深刻な不況に陥ったが，原敬が蔵相に就任すると，徹底した緊縮財政を推し進め，経済回復を達成した。

4　第一次世界大戦後，ワシントン軍縮条約の締結をめぐって，軍部は統帥権干犯であると政府を攻撃した。板垣退助内閣は退陣に追い込まれ，それ以降の内閣は軍部が主導権を握った。

5　国家改造を実現しようとする東条英機ら一部の軍人は，五・一五事件や二・二六事件を起こして政権を獲得した後，治安維持法を制定して国民と経済を軍部の統制下に置き戦争に備えた。

解答欄

解 説 31

1 ×　日露戦争は，**日本海海戦**に勝利したにもかかわらず，**賠償金が得られなかった**ので，各地で講和反対の機運が高まったのである。

2 ○　第一次世界大戦が始まると，**日本は日英同盟に基づいてドイツに宣戦を布告し，青島（チンタオ）を占領した**。

3 ×　世界恐慌は第一次世界大戦**終結直後ではなく**，10 年後の **1929** 年である。また，これに対処するために緊縮財政を行った蔵相は，**原敬ではなく井上準之助**であるが，経済回復は達成できず，深刻な恐慌状態に陥った。

4 ×　統帥権干犯問題は**ワシントン軍縮条約（1922）をめぐってではなく，ロンドン軍縮条約（1930）**に関してのことであった。また，このときの首相は**板垣退助ではなく，浜口雄幸**で，浜口は狙撃されて負傷（翌年死亡）し，内閣は総辞職した。

5 ×　五・一五事件（**1932**）は**海軍将校が中心**に行ったものであり，また，二・二六事件（**1936**）は**陸軍内部の皇道派**が起こした事件。東条英機は陸軍でも統制派であり，**いずれの事件にも関与していない**。さらに，**治安維持法が制定**されたのは，**1925** 年のことであるから，両事件とも無関係である。　解答　**2**

政治
経済
社会情報
日本史
世界史
地理
文学芸術
国語
数学
物理
化学
生物
地学
英語
現代文古文
資料解釈
判断推理
数的推理

日本史

No. 32　　　　　**14 ～ 16 世紀の情勢**　　　　　Ⓑ 重要度

　我が国の 14 ～ 16 世紀における情勢に関する記述として最も妥当なのはどれか。

1　鎌倉幕府の滅亡後，後鳥羽天皇は息子の土御門天皇，続いて順徳天皇を立て，自分は上皇となって院政を行った。

2　14 世紀末には，足利義満が国内の武士を組織し，地方に守護や地頭を派遣するなどして室町幕府の支配機構の整備を進め，さらに御成敗式目を制定してその支配力を強めた。

3　15 世紀半ばには，足利義政の後継者をめぐって応仁の乱が起こり，それを契機に下剋上の風潮が激しくなり，室町幕府は衰退していった。

4　15 世紀末には，ポルトガル人が種子島へ漂着したことを契機に，イスパニア船などが来航するようになり，幕府は朱印船貿易を，各地の戦国大名は勘合貿易を盛んに行った。

5　応仁の乱の頃から戦国時代が到来し，越後の上杉謙信が信濃の支配をめぐって甲斐の今川義元と長篠で交戦するなど，戦国大名がたがいに領国の拡大を図り争った。

解答欄 ［　　　　　　］

解説 32

1 ×　後鳥羽天皇が退位した後，息子の土御門天皇，続いて順徳天皇を立てて上皇として院政を行った**ことは正しいが**，それは**鎌倉時代初期**のことであり，**1221 年に幕府を倒すことを目的として承久の乱**を起こした。

2 ×　地方に守護・地頭を派遣したのは**鎌倉幕府**である。また，御成敗式目（貞永式目）も**鎌倉時代**で，**1232 年に北条泰時**が定めた武家の根本法典 51 カ条のことをいう。

3 ○　応仁の乱（1467 ～ 1477）は，将軍家の継嗣問題に，斯波・畠山両氏の家督争いが絡んで起こったもの。

4 ×　ポルトガル人が種子島に到着したのは，**15 世紀末ではなく，16 世紀半ば**（1543）である。また，勘合貿易は 15 ～ 16 世紀，**朱印船貿易は 16 ～ 17 世紀**で，前者は室町幕府，後者は**秀吉政権と徳川幕府**が中心であるが，大名なども関与した。

5 ×　越後の上杉謙信は，**甲斐の武田信玄と川中島**で交戦したのであり，「**長篠の戦い**」は織田信長と徳川家康の連合軍が武田信玄の息子・勝頼を破った戦いである。

解答　　**3**

各時代の争乱

重要度

我が国の各時代における争乱に関する記述として最も妥当なのはどれか。

1 7世紀後半の壬申の乱は，天武天皇の死をきっかけとして，蘇我氏などの有力豪族が天皇を中心とする中央集権体制に反発して起こしたものであるが，藤原鎌足らによって鎮められた。

2 10世紀前半の平将門の乱や藤原純友の乱は，武家の棟梁である源頼朝によって鎮められたが，この功によって源頼朝は太政大臣の官職を与えられ，中央政府で勢力を持つようになった。

3 13世紀前半の承久の乱は，後白河上皇を中心とする朝廷方の敗北に終わり，乱後，鎌倉幕府は朝廷の監視などのために京都に六波羅探題を設置した。

4 14世紀前半の南北朝の内乱では，北朝側の足利尊氏が，南朝側の有力武将であった新田義貞や楠木正成を滅ぼして南北朝の合体を実現させ，室町幕府を開いた。

5 15世紀後半の応仁の乱は，将軍足利義政の継嗣問題に，斯波・畠山両氏の家督争いが絡んで起こったもので，11年に及ぶ大乱となった。これにより，将軍の権威は失墜して，戦国時代に入っていく。

解答欄 ☐

解 説 **33**

1 × 壬申の乱（672）は，**天智**天皇の崩御後，その子の**大友皇子**と弟の**大海人皇子**が皇位をめぐって戦ったもの。

2 × **平将門の乱を平定したのは**平貞盛と藤原秀郷。また，**藤原純友の乱を平定したのは**小野好古と源経基。両方を合わせて，承平・天慶の乱という（935〜941）。

3 × **後白河上皇ではなく後鳥羽上皇である。**

4 × 14世紀前半に，楠木正成や新田義貞を滅ぼしたのは足利尊氏であるが，**南北朝の合体は14世紀末の1392年，**三代将軍**義満**（尊氏の孫）になってからのことだった。

5 ○ **記述のとおりである。**

解答 **5**

日本史 No.34	徳川綱吉の政策	Ⓑ 重要度

江戸幕府5代将軍徳川綱吉の政策に関する記述として最も妥当なのはどれか。

1 旗本・御家人の生活難を救うために，債務を破棄・軽減させる棄捐令を発した。

2 信任の厚い家臣を五奉行に任じて政務一般にあたらせた。また，有力大名から五大老を選んで重要政務を合議で決定させた。

3 林信篤を大学頭に任じ，朱子学を幕府の学問（正学）とした。また，寺社を造営するなど儒学や仏教を背景とした政治を推進した。

4 貨幣改革を行ったが，新旧金銀の交換比率が不適切だったために，経済界が混乱した。

5 農村の復興と江戸の治安維持をねらって，江戸に流入した農民を強制的に帰村させる人返し令を実施した。

解答欄

解 説 34

1 × 棄捐令は1789年，**11代将軍家斉**のもとで，**老中松平定信**が行った「**寛政の改革**」によって行われたものであり，**綱吉とは無関係**である。

2 × **豊臣秀吉**の政権の末期における，五奉行と五大老に関する記述である。

3 ○ 綱吉は学問好きで**朱子学**を幕府の学問（正学）とし，さらに**仏教に傾倒**して，寺社を造営した。「生類憐みの令」もその**仏教思想**から出てきたものである。

4 × 綱吉の死後，**6代将軍家宣・7代将軍家継**の下で，**新井白石**が行った「**正徳の治**」の経済政策に関する記述である。

5 × **12代将軍家慶**の下で，老中**水野忠邦**が行った「**天保の改革**」に関する記述である。

解答	3

政治・経済・社会情報・日本史・世界史・地理・文学芸術・国語・数学・物理・化学・生物・地学・英語・現代文古文・資料解釈・判断推理空間把握・数的推理

古代から中世の歴史

重要度 B

次の A ～ E の記述を，時代が古いものから順に並べたものとして最も妥当なのはどれか。

A 推古天皇の摂政となった聖徳太子は，蘇我馬子と協調しながら天皇中心の国家体制の樹立を目指し，冠位十二階や憲法十七条を定めた。

B 仏の加護による国家の安定が願われ，天皇は諸国に国分寺を建て，また，東大寺の大仏を作った。

C 一条天皇の後宮に才能ある女性が集まり，紫式部の『源氏物語』や清少納言の『枕草子』などが生まれた。

D 遷都が行われるとともに東北地方の支配にも力が入れられ，坂上田村麻呂が征夷大将軍となって蝦夷鎮圧に赴いた。

E 平氏を滅ぼした源頼朝は征夷大将軍に任じられ鎌倉に幕府を開いた。

1 A → B → D → C → E

2 A → B → E → C → D

3 A → B → E → D → C

4 B → A → C → E → D

5 B → A → C → D → E

解答欄

解 説 35

A 聖徳太子が推古天皇の皇太子として摂政となったのは **593** 年の**飛鳥時代**（推古天皇即位は 592 年）のことである。

B 東大寺の大仏建立の詔を出したのは**聖武天皇**。詔は 743 年，開眼供養は 752 年で孝謙天皇の治世になっていた。**奈良時代**である。

C 紫式部も清少納言も 1000 年頃の人。紫式部は一条天皇の中宮彰子，清少納言は一条天皇の皇后定子に仕えた。**平安中期**である。

D 坂上田村麻呂を征夷大将軍に任じたのは**桓武天皇**で，**平安初期 797** 年のことである。

E 源頼朝が鎌倉に武家政権を確立したのは，**12 世紀末**。平安時代に引き続いて鎌倉時代になる。

したがって，正解は **1** になる。

解答　　1

No.36 明治から昭和初期の外交 重要度 A

明治から昭和初期の外交に関する記述として最も妥当なのはどれか。

1 　明治政府は，右大臣岩倉具視を大使とし，西郷隆盛ら政府首脳に率いられた大規模な使節団を欧米諸国へ派遣した。アメリカ合衆国では，元来予定にはなかった日米修好通商条約の締結に成功した。

2 　朝鮮の内政改革をめぐって日本と清は激しく対立し，日清戦争が始まった。戦いは日本の勝利に終わり，日本全権井上馨と清国全権袁世凱との間で，1895 年に下関条約が調印された。

3 　満州における利権をめぐるロシアとの交渉は決裂し，日露戦争が始まった。戦いは日本の勝利に終わり，日本全権小村寿太郎とロシア全権ウィッテとの間で，1905 年にポーツマス条約が調印された。

4 　1921 年に開催されたワシントン会議において，アメリカ合衆国・英国・中国は日本との間で軍縮協定を結んで，建艦競争を終わらせ，日本の東アジアでの膨張を抑えようとした。

5 　近衛文麿首相は外相を兼任し，それまでの若槻礼次郎外相による協調的な外交とは異なる強硬外交を中国に対して展開し，日本人居留民の保護を名目として山東出兵を行った。

解答欄

解 説 36

1 × 　岩倉使節団が欧米諸国へ派遣されたのは**事実だが**，**西郷隆盛は**大隈重信や板垣退助とともに**留守を預かった**。また，**日米修好通商条約**が締結されたのは，まだ**江戸時代**の 1858 年のことであり，**岩倉使節団とは無関係**。

2 × 　日清戦争の講和条約である下関条約が 1895 年に調印されたことは事実であるが，日本全権は**伊藤博文**，**陸奥宗光**，清国全権は**李鴻章**である。

3 ○ 　アメリカ大統領セオドア・ルーズベルトの仲介により，小村寿太郎とウィッテの間で**ポーツマス条約**が結ばれ，日露戦争は終結した。

4 × 　1921 年のワシントン会議では，**米英仏日**の間で，太平洋の領土保全と安全保障を約したのであり，**中国は関与していない**（四カ国条約）。1922 年の九カ国条約では，中国の領土保全に関する取り決めが結ばれ，この際には**中国も参加**した。

5 × 　山東出兵を行ったのは**近衛文麿**ではなく**田中義一**首相で，協調外交を行ったのは**若槻礼次郎**ではなく**幣原喜重郎**である。

解答 　3

我が国の仏教 重要度

我が国の仏教に関する記述として最も妥当なのはどれか。

1 日蓮は, 仏はもともと罪深い衆生を救おうとするのであるから, 煩悩の深い人間, すなわち悪人こそが仏の救おうとする相手であると説いた。

2 栄西は, 信仰における学問や儀式の重要性を主張して, 座禅や加持祈祷によって悟りを開くことができると説いた。

3 法然は, どんな貧しい人でもどんな愚かな人でも, 南無阿弥陀仏と口に唱えさえすれば浄土に往生できると説いた。

4 親鸞は, 日本の神々は仏が形を変えて現れたもの（権現）であると考える「反本地垂迹説」を主張し, 踊念仏を通じて教えを広めた。

5 一遍は, 法華経を信仰することがただ一つの救いの道であると主張し, 誰でも口に南無妙法蓮華経と唱えれば成仏できると説いた。

解答欄

解説 37

1 × 「**悪人正機説**」についての記述であり, これを唱えたのは, **日蓮**でなく, **親鸞**である。

2 × 学問, 儀式を重要視し, 座禅や加持祈祷を行うのは密教である。**真言宗（空海）**や**天台宗（最澄）**などがそれであり, 臨済宗の**栄西**ではない。

3 ○ **専修念仏**についての記述であり, これを唱えたのは**法然**である。

4 × 日本の神々はインドの仏が姿を変えて現れたものだというのは「**本地垂迹説**」。逆に, 仏は日本の神々が姿を変えて現れたものだというのが「**反本地垂迹説**」であるが, いずれも**親鸞**とは無関係。また, **踊念仏**を通じて布教したのは時宗の**一遍**である。

5 × 法華経の信仰を説いて, 南無妙法蓮華経を唱えれば成仏できるとしたのは, **一遍**ではなく**日蓮**である。

解答 **3**

日本史
No. 38

古代の政治

Ⓐ 重要度

政治 / 経済 / 社会情報 / **日本史** / 世界史 / 地理 / 文学芸術 / 国語 / 数学 / 物理 / 化学 / 生物 / 地学 / 英語 / 現代文古文 / 資料解釈 / 判断推理空間把握 / 数的推理

我が国の古代の政治に関する記述として最も妥当なのはどれか。

1 聖徳太子は推古天皇の摂政となって政治を行い，冠位十二階を制定するなど律令国家の体制を整えたが，政権を独占したことから反感を買い，中大兄皇子と中臣鎌足によって倒された。

2 桓武天皇は途絶えていた唐との国交を回復するため小野妹子を唐に派遣したり，唐の都洛陽にならって奈良に平城京を建設するなど，積極的に唐の制度や文化を取り入れた。

3 藤原不比等は憲法十七条を制定するなど，大化の改新と呼ばれる一連の政治改革を行ったが，藤原広嗣が勢力の回復を図って反乱を起こしたことを契機に失脚した。

4 桓武天皇は平城京から長岡京への遷都を図ったが，造営途中で計画を変更して，平安京に遷都することになった。

5 宇多天皇は院政を行い，墾田永年私財法を発布して開墾を励行するなど，律令政治の再建を図ったが，その後の醍醐・村上天皇はそれに反発して中国の影響を排する延喜・天暦の治を行った。

解答欄 [   ]

解説 38

1 × 聖徳太子が推古天皇の摂政として，「冠位十二階」の制を定めたことは**正しい**が，「**律令国家**」とは **701** 年の「**大宝律令**」以後の体制をいい，また中大兄皇子と中臣鎌足に殺されたのは，**蘇我入鹿**である。

2 × 小野妹子が**遣隋使**として中国を訪れたのは**推古天皇**の治世である。また当時の唐の都は洛陽でなく**長安**である。さらに桓武天皇が遷都したのは**平安京（794）**である。

3 × 憲法十七条を制定したのは**聖徳太子**。**大化の改新**は，蘇我入鹿を殺害した乙巳の変（645）の後，**中大兄皇子**と**中臣鎌足**（不比等の父）が孝徳天皇のもとで行った。藤原広嗣（不比等の孫）の乱は**不比等の死後**のことである。

4 ○ **平城京**は奈良時代 710 年に作られたが，その後 784 年に**桓武天皇**が**長岡京**に都を移した。しかし，天災や事件が多発し，造営工事半ばで放棄し**平安京**に遷都したのである。

5 × 墾田永年私財法は**奈良時代**に**聖武天皇**が出したものである。「それに反発して中国の影響を排する」の記述も**誤り**。

解答 　4

キリスト教の歴史

我が国のキリスト教の歴史に関する記述として最も妥当なもののみをすべて挙げているのはどれか。

A　イエズス会の宣教師フランシスコ・ザビエルは，種子島に漂着し，我が国に鉄砲とキリスト教を初めて伝えた。キリスト教は，南蛮貿易を望む一部の大名に広がり，細川忠興や高山右近は洗礼を受けキリシタン大名となった。

B　織田信長は，延暦寺や石山本願寺と同様に，キリスト教勢力が国家体制の障害になると考えた。彼は，バテレン追放令を出して宣教師を国外追放するとともに，日本人キリシタンをも厳しく取り締まった。

C　島原の乱は，キリスト教徒への弾圧などに抵抗した武士の反乱である。大塩平八郎を首領とするこの反乱に対して，江戸幕府は関東・東北の諸大名らの兵力を動員し，約5年もの歳月をかけてようやく鎮圧に成功した。

D　江戸幕府は，キリスト教を禁圧した。特に，信者の多い九州北部などで踏絵を行わせ，また寺請制度を設けて宗門改を実施し，キリスト教徒の摘発に努めてその根絶を図った。

1 A
2 A, B
3 B, C
4 C, D
5 D

解答欄

解説 39

A×　鉄砲伝来（**種子島 1543**）とザビエルの布教開始（**鹿児島 1549**）は**別の事柄**である。また，**高山右近**はキリシタン大名だが，細川忠興はそうではない。ただし，忠興の妻は有名なキリシタンのガラシャ夫人である。

B×　織田信長は南蛮貿易を拡大することを望んでいた。また，**一向宗（浄土真宗）**に対抗するために**キリスト教を保護**した。キリスト教弾圧を始めたのは**豊臣秀吉**であり，1587年に「バテレン追放令」を出した。

C×　**島原の乱**（1637）は江戸初期に起こったキリシタン農民を中心とする反乱であり，翌年には鎮圧された。一方，**大塩平八郎**は，幕末の1837年に大坂で，貧民の困窮状態をみかねて乱を起こした人物である。

D○　**江戸幕府**はキリスト教を禁圧するために，寺請制度を制定し，宗門改を行った。いずれも，キリシタンでないことを，一人一人が所属する檀那寺に証明させるものである。

解答　5

日本史

No. 40 鎌倉・室町時代の政治 Ⓑ 重要度

鎌倉から室町時代の政治に関する記述として最も妥当なのはどれか。

1 北条時宗は，元のフビライ・ハンから服属するようたびたび求められたが，これを拒絶したため，日本は2度にわたり元軍の襲来を受けた。

2 北朝の後醍醐天皇は，鎌倉時代の後鳥羽上皇の院政にならい，即位後すぐに退位して上皇となり，建武の新政と呼ばれる院政を行った。

3 足利尊氏は，南北朝を統一して幕府を開き，源頼朝以来の先例に基づいて武家法典である武家諸法度を制定した。

4 足利義昭は，将軍職を辞した後も実権をふるい，有力守護の大内義弘を討つなど，幕府の対抗勢力の排除に務めた。

5 細川勝元は，管領として権勢をふるい，足利義政と対立した。この対立は応仁の乱に発展したが，山名氏清の仲介により戦乱は約3年で終結した。

解答欄 _____

解 説 40

1 ○ 鎌倉幕府8代執権の時宗は**元**の**フビライ・ハン**からの服属要請を拒否したために，2度にわたって**元軍**の襲来を受けた。

2 × **後醍醐天皇**は「建武の新政」（建武の中興）を行ったが，この天皇は**北朝**でなく**南朝**である。また上皇にならず，院政も行わなかった。

3 × **南北朝を統一**したのは足利**3代将軍**の**義満**である。また，**武家諸法度**は，大坂夏の陣（1615）の後，**徳川秀忠**が出した武家統制のための法令。幕府が武家統制のために出した法令としては，鎌倉幕府の3代執権泰時の御成敗式目（貞永式目ともいう，1232）があるが，足利幕府は特にその類のものは出していない。

4 × 足利**義昭**ではなく，足利**義満**である。

5 × 応仁の乱では，細川勝元（東軍）は**足利義政**を奉じ，足利義視を将軍にするために戦った。一方，西軍は山名持豊が**足利義尚**を後援した。つまり，細川勝元と山名持豊が戦ったのであり，**戦乱は約11年間**続いた。

解答 **1**

（★は関連用語）

日本史

空欄にあてはまる語句を書きなさい。

1　6世紀前半，継体天皇は新羅出兵を計画したが，筑紫の国造（　　）は新羅と結んで反乱を起こし，大和政権を悩ませたとされる。

2　天智天皇の崩御後，息子の（　　）皇子が近江朝廷の実権を握ったが，やがて先帝の弟・大海人皇子が挙兵して，これを倒し，（　　）天皇となった。

3　古代最大の歌集（　　）の完成は奈良時代であるが，天皇讃歌などで知られる宮廷歌人（　　）がその最高峰と評価されている。

4　8世紀初め，天武天皇の孫（　　）天皇が夭折すると，母の（　　）天皇が即位して，都を奈良に移した。

5　聖武天皇の後を継いだ女帝・孝謙天皇は初め（　　）を重用したが，やがて上皇になると僧（　　）に寵を移し，淳仁天皇との関係が悪化した。

6　（　　）と（　　）はともに入唐して研鑽したが，帰朝後，前者は比叡山に天台宗の延暦寺を開き，後者は高野山に真言宗の金剛峯寺を開いた。

7　平城天皇は，弟の（　　）天皇に譲位した後，都を奈良に戻そうと画策して弟と衝突，（　　）の変を起こした。

8　藤原基経の息子（　　）は，若くして左大臣になったが，右大臣の（　　）に藤原家の実権を奪われるのを恐れて失脚させ，大宰府に流した。

9　藤原兼家は娘たちを後宮に入れて，外戚としての地位を固めたが，その息子（　　）もその戦略を継承した。特に，紫式部が仕えた（　　）は，2人の天皇の母となった。

○ 正解 ○

1　磐井

2　大友　天武
　★壬申の乱（672）

3　万葉集　柿本人麻呂

4　文武　元明
　★平城京（710）

5　藤原仲麻呂（恵美押勝）
　道鏡

6　最澄　空海

7　嵯峨
　薬子（平城太上天皇）

8　時平　菅原道真

9　道長　彰子
　★後一条・後朱雀天皇

政治
経済
社会
情報
日本史
世界史
地理
文学
芸術
国語
数学
物理
化学
生物
地学
英語
現代文
古文
資料
解釈
判断推理
空間把握
数的
推理

10　平安末期, 鳥羽法皇が崩御すると, 息子の（　　）上皇と後白河天皇が衝突し, 摂関家や源平の武士たちを巻き込んで（　　）の乱が起こった。

11　源頼朝の没後, 妻（　　）と, その父（　　）が実権を握り, 執権政治の基礎を固めた。

12　鎌倉3代将軍の源実朝没後,（　　）上皇は討幕を図り（　　）の乱を起こしたが, 敗れて隠岐に流された。

13　1274年と1281年の2度にわたって, モンゴル軍が押し寄せて来たが, 執権（　　）は, 台風などの幸運に助けられ撃退することに成功した。

14　14世紀の初めに皇位についた（　　）天皇は鎌倉幕府を討とうとして発覚し,（　　）に流されたが, 脱出して帰京し, 名和長年などの力を借りて, 討幕に成功した。

15　キリシタン大名の多くは, 禁制にともなって信仰を捨てたが, 最後まで節を曲げず, ついにルソン島に流されたのは（　　）である。

16　豊臣秀吉は石田三成などの有力家臣を（　　）に任じて政務を分掌, 政権末期には, 徳川家康などの有力大名を（　　）として, 政務を総覧させた。

17　徳川家康は将軍就任後わずか2年で, その位を息子の（　　）に譲り, 自分は（　　）として君臨した。その後, 引退した将軍はこの名で呼ばれるようになった。

○ 正 解 ○

10　崇徳　保元

11　政子　北条時政

12　後鳥羽　承久

13　北条時宗
★元寇

14　後醍醐　隠岐
★建武の新政

15　高山右近

16　五奉行　五大老

17　秀忠　大御所

	○ 正 解 ○

18 徳川家康は，息子3人を，尾張・紀伊・水戸に配して，将軍家の直轄地とし，これが（　　）と呼ばれるようになった。

18 御三家
★8代将軍吉宗・御三卿

19 1637年，九州西部のキリシタンや農民たちが，圧制に耐えかねて起こした一揆を（　　）の乱という。

19 島原（島原・天草一揆）

20 1701年，江戸城刃傷事件で切腹を命ぜられた赤穂藩主・浅野長矩の，高家旗本・吉良義央に対する恨みを晴らした家臣たちの事件は，歌舞伎などで取り上げられ（　　）と呼ばれるようになった。

20 忠臣蔵

21 1708年，日本に潜入したイタリア人宣教師ヨハン・シドッチを捕らえ尋問した（　　）は，これをもとに（　　）と『采覧異言』を著した。

21 新井白石　西洋紀聞

22 元禄の二大散文作品を『好色一代男』と『曽根崎心中』だと評価する人は多い。前者は（　　），後者は（　　）が書いたものである。

22 井原西鶴
**　近松門左衛門**

23 1837年，大坂町奉行所の与力（　　）は，民衆の窮状を見かねて決起したが，1日で鎮圧された。

23 大塩平八郎

24 幕末の大老（　　）は，勅許を得ずに（　　）を締結したために，尊皇攘夷派の怒りを招き，桜田門外で暗殺された。

24 井伊直弼
**　日米修好通商条約**

25 明治政府は1871年，（　　）を断行し，旧藩主の知藩事を東京に移住させ，薩長土肥出身の官僚を，府知事・県令として派遣した。

25 廃藩置県

26 朝鮮に強硬な態度を取ろうとする西郷隆盛などの（　　）が敗れると，西郷は下野して鹿児島に帰り，1877年には（　　）を起こすに至った。

26 征韓論　西南戦争

世界史

▶ 知識分野

20 世紀初頭の国際情勢

 重要度

20 世紀初頭の国際情勢に関する記述として最も妥当なのはどれか。

1 ロシアは,イタリアやドイツとの関係を強化して日本に対し三国干渉を行い,日露戦争で日本に割譲されたカムチャツカ半島の返還を認めさせた。

2 日本は日露戦争での勝利後,イギリスとの関係が再び悪化し,新たな戦争を回避するためロシアとの間で下関において日露同盟を結んだ。

3 イタリアはドイツ,オーストリアとともに三国同盟を結成し,イギリス,フランス,ロシアからなる三国協商と対立したが,第一次世界大戦では三国協商側について参戦した。

4 ドイツは,バルカン半島から中東地域への進出を目指して 3C 政策を推進したが,インドやエジプトを支配するイギリスの 3B 政策と対立し,両国関係は緊張した。

5 フランスは,北アフリカにおける植民地・勢力圏獲得競争の末,ドイツとの関係が悪化したためイギリスに接近したが,第一次世界大戦では中立を維持した。

解答欄

解説 41

1 ×　三国干渉は,ロシアが**フランス（イタリアではない）**とドイツを誘って行ったものである。そして,「**日露戦争で日本に割譲されたカムチャツカ半島**」ではなく,「**日清戦争で日本に割譲された遼東半島**」を**清国**に返還させたのである。また,この事件は **19 世紀末**のことであるから,「**20 世紀初頭の国際情勢に関する記述**」**ではない**ことからも,妥当ではない。さらに付け加えれば,日露戦争で日本に割譲されたのは,**南樺太**である。

2 ×　日露戦争の後,日本との関係が悪化したのは**アメリカ**である。日本は,第二次日英同盟（1905）を結んで孤立化を避け,さらにロシアとは第一次日露協約（1907）によって満州権益を認めさせて,**アメリカ**に対抗した。

3 ○

4 ×　「3C 政策」と「3B 政策」の**説明が逆（ドイツが 3B 政策,イギリスが 3C 政策）**である。3B とはベルリン・ビザンティウム（イスタンブルの古名）・バグダードのこと。3C とは**ケープタウン・カイロ・カルカッタ**のことである。

5 ×　フランスは北アフリカの利権をめぐって**イギリス**と対立していたが,**ドイツ**との関係が悪化したために,**イギリス**に接近した（1904 **英仏協商**）。したがって,前半の記述は妥当であるが,第一次世界大戦では**イギリス**側に立って,**ドイツ**と戦ったのであるから,最後の部分の記述が間違っている。

解答　3

No.42 世界の交流史

重要度 A

政治 / 経済 / 社会情報 / 日本史 / 世界史 / 地理 / 文学芸術 / 国語 / 数学 / 物理 / 化学 / 生物 / 地学 / 英語 / 現代文古文 / 資料解釈 / 判断推理空間把握 / 数的推理

世界の各地域の交流に関する記述として最も妥当なのはどれか。

1 インドで成立した仏教は，西方のアケメネス朝ペルシアにも伝わり，ペルシアの国教であるイスラム教に影響を与えてシーク教やマニ教が生まれた。

2 中国で生まれた製紙法は，唐とペルシア帝国との戦いが契機となってイスラム世界に伝わり，その後ヨーロッパに伝わった。

3 中国の特産品であった絹は，香辛料や陶磁器とともに元の時代に初めてムスリム商人のインド洋ネットワークを通じてヨーロッパに運ばれた。

4 中国で発明された火薬，印刷術，羅針盤はイスラム世界を経てヨーロッパに伝えられた。

5 大航海時代にヨーロッパからアメリカ大陸に伝わったジャガイモやサトウキビは，アフリカの風土が栽培に適していたことからイギリス，フランスが支配するアフリカの植民地でプランテーションとして大規模に生産された。

解答欄

解説 42

1 × 仏教が中央アジアへ広まったのは，**クシャーナ朝（1～3世紀）**のこと。一方，アケメネス朝ペルシアは**前6世紀～前4世紀**の王朝であるから，**時代が合わない**。また，ペルシアで盛んだった宗教は**ゾロアスター教**（3世紀以降のササン朝ペルシアでは国教）であり，**イスラム教**はずっと後になってこの地に入った。**シーク教**は1500年頃，**インド**で成立した宗教であるから，**ここでは無関係**。

2 × **ペルシア帝国**ではなく**アッバース朝（イスラム）**である。この戦いは「**タラス河畔の戦い**」（751）である。

3 × 中国の絹は，**漢の時代**からヨーロッパに運ばれていた。この経路を「**絹の道**」または「**オアシスの道**」と呼ぶ。イスラム教（ムスリム）成立後に**交易が始まったのではない**。

4 ○

5 × ジャガイモの原産地は**アメリカ大陸**で，大航海時代にヨーロッパに伝わった。また，**サトウキビ**の原産地は**インド**。**プランテーション**は熱帯や亜熱帯の大規模な農業経営方式であるから，**ジャガイモ**を栽培することはない。

解答　4

アメリカ合衆国の歴史

重要度

アメリカ合衆国の歴史に関する記述として最も妥当なのはどれか。

1 イギリスからの独立戦争に勝利したアメリカ合衆国は，リッチモンドで開かれた憲法制定会議において合衆国憲法を採択した。その後，ワシントンが初代大統領に就任した。

2 ラテンアメリカ諸国の独立運動に対してヨーロッパ列強は干渉を試みたが，モンロー大統領は1823年にヨーロッパとアメリカ合衆国の相互不干渉を唱える宣言を発表してこれを牽制した。

3 1860年，民主党のリンカンが大統領に当選すると，南部は反発し連邦から脱退したため，南北戦争が勃発した。

4 第一次世界大戦直後の世界恐慌に直面したジェファーソン大統領は，新経済政策（ネップ）を採用するとともに，ラテンアメリカ諸国への干渉を強めた。

5 ベトナム戦争終結後に大統領に就任したジョンソンは，「偉大な社会」をスローガンに減税と軍備強化をすすめ，ソ連と対決しようとした。

解答欄

解 説 43

1 × リッチモンドではなく**フィラデルフィア**である。

2 ○ ヨーロッパ諸国の南北アメリカへの干渉に反対し，合衆国もヨーロッパには干渉しないことを表明した「モンロー宣言」と呼ばれる。

3 × リンカンは**民主党**でなく，**共和党**である。

4 × ジェファーソンは独立後間もない**1801**年に大統領に就任した。また，**世界恐慌**は第一次世界大戦直後ではなく，**1929 ～ 1932**年のことであるが，当時の大統領は**フーバー**。さらに，その直後に立った**フランクリン・ローズヴェルト**大統領はニューディール政策を採用した。そして，**新経済政策（ネップ）**というのは，**1921年**にソ連のレーニンが採用した経済政策のことである。

5 × ジョンソンは1963 ～ 1969年の間の大統領。この大統領のもとで，アメリカ合衆国は**ベトナム北爆（1965）**に踏み切った。また「偉大な社会」は社会的貧困を救済しようという計画である。

解答　2

世界史 No.44 キリスト教の歴史 Ⓑ 重要度

キリスト教の歴史に関する記述として最も妥当なのはどれか。

1 教皇グレゴリウス7世がドイツで贖宥状（免罪符）を販売すると，これに反対したマルティン・ルターは，『神の国』の中で聖書による救済を主張し，新約聖書をドイツ語に翻訳して布教に活用した。

2 スイスのジュネーヴで宗教改革を進めたカルヴァンは，勤勉さを重視し，勤労の結果による蓄財を肯定した。その教えは各地に広まり，イングランドではその信徒はユグノーと呼ばれた。

3 イギリスのチャールズ1世は，ローマ教皇から破門されたことをきっかけに国王を首長とするイギリス国教会を創立した。その後もカトリックとの宗教対立は続いたが，ジェームズ1世によって終止符が打たれた。

4 ドイツでは，カトリックと宗教改革によって生まれたプロテスタントが対立し，三十年戦争を引き起こしたが，ウェストファリア条約によって終結し，プロテスタントの信仰が認められた。

5 イグナティウス・ロヨラは，ニケーア公会議でイエズス会の創設を承認され，宗教改革を開始した。イエズス会はカルヴァン派の勢力拡大に努め，新大陸やアジアで布教を行い，フランシスコ・ザビエルを日本に派遣した。

解答欄

解説 44

1× 贖宥状（免罪符）を販売したのは，**教皇レオ10世**であり，マルティン・ルターが発表したのは「**95か条の論題**」である。これによって宗教改革が始まった。

2× カルヴァン派の新教は，イングランドでは**ピューリタン（清教徒）**と呼ばれた。**ユグノー**と呼ばれたのは**フランス**でのことである。また，オランダではゴイセンと呼ばれた。

3× イギリス国教会を創始（1534）したのは**ヘンリー8世**。その娘のエリザベス1世が1559年に信仰統一法（統一法）を出して，儀礼・礼拝の形式を定めた。

4○ ウェストファリア条約によって，**三十年戦争が終結**し，**ドイツ**における宗教紛争は一応の決着を見た。

5× **ニケーア公会議は325年**のことで，アタナシウス派を正統として，アリウス派を退けた宗教会議である。また，イエズス会が布教に努めたのは，**カトリックのため**である。

解答 4

古代文明

古代文明に関する記述 A ～ D とその名称の組合せとして最も妥当なのはどれか。

A　モンスーンの影響を受けるこの地域では，早くから灌漑が行われ，紀元前2500年頃から都市文明が栄え，遠隔地との交流を行っていた。これらの都市は，整然とした都市計画のもとに建設されており，排水溝や公共の大浴場などもあった。また，彩文土器や銅器，青銅器，鉄器などのほか，象形文字を彫った印章も多数発見されている。

B　この帝国の皇帝は太陽の神の子とされ，その権力は絶対的であった。巨大な石をすき間なく積み重ねる石造建築，首都を中心に全国に広がる道路網などを建設したが，いわゆる文字をもたず，縄の結び目を利用した計数法が用いられた。

C　紀元前4000年頃，粟・黍の農耕が始まり，彩色した文様の土器がつくられた。やがて都市国家が成立し，時を経てそれらを統一する王朝が建てられた。この王朝の王は最高の司祭者であり，祭政一致の神権政治を行った。この文明の文字は亀の甲羅や牛の骨などに占いの内容を刻んだものから始まっている。

D　この地域では紀元前3500年頃には都市国家がつくられ，れんが造りの城壁をめぐらし，壮大な神殿を建てた。粘土板にくさび形文字を刻み，農作業の必要から天文暦法が発達した。紀元前1800年頃，この地域にあった王国では，復讐法の原則に立つ法律がつくられた。

	A	B	C	D
1	インダス文明	インカ帝国	黄河文明	メソポタミア文明
2	インダス文明	ローマ帝国	メソポタミア文明	エーゲ文明
3	エジプト文明	インカ帝国	黄河文明	メソポタミア文明
4	エジプト文明	インカ帝国	メソポタミア文明	エーゲ文明
5	エジプト文明	ローマ帝国	黄河文明	エーゲ文明

解答欄

解 説 45

A　**インダス文明**に関する記述である。中流域の**ハラッパー**と下流域の**モヘンジョ＝ダロ**に整然たる都市が建設されていた。

B　**インカ帝国**に関する記述である。**インカ帝国**は 13 世紀ころに成立し，14 〜 15 世紀にかけて領土を拡大したが，1533 年，ピサロの率いるスペイン軍に征服された。文字は使用されていなかったが，縄の結び目を使ったキープと呼ばれる計数法が完成していた。

C　**黄河文明**に関する記述である。「それらを統一する王朝」とあるのは，**殷王朝（前 17 〜前 11 世紀）**のことである。

D　**メソポタミア文明**に関する記述である。「復讐法の原則に立つ法律」とは，古バビロニア王国のハムラビ王（前 18 世紀頃）がつくった「**ハムラビ法典**」のことであり，「目には目を，歯には歯を」の復讐原理を採用した。

以上から，正しい組合せは 1 である。

解答	1

➕プラス知識

古代エジプト

　エジプトは前 3000 年頃に統一国家が形成され，前 4 世紀に**アレクサンドロス大王**に征服されるまで，約 30 の王朝が交代した。大きく，**古王国・中王国・新王国**に分けられる。

　古王国は，首都はメンフィス（下エジプト）。大ピラミッドを造営したのはこの時期である。

　中王国は，前 22 世紀に成立。首都はテーベ（上エジプト）。シリア方面からのヒクソスの侵入に苦しめられた。

　新王国は，そのヒクソスを駆逐して，前 16 世紀に成立。首都は，最初はテーベだったが，ツタンカーメン王がメンフィスに遷都した。前 6 世紀にアケメネス朝ペルシアに支配された。さらに，前 330 年には**アレクサンドロス大王**に征服されて，古代エジプトは終わった。

中国の歴史

 重要度

中国の諸王朝に関する記述として最も妥当なのはどれか。

1 李淵によって建国された唐は，洛陽を都と定め，律や令などの法典を整備し，中央に三省と六部の官制を設けるとともに，学科試験により官僚を採用する秦の郷挙里選の制度を継承した。

2 趙匡胤によって建国された宋（北宋）は，長安を都と定め，均田制を行って農民に土地を割り当て，税や労役を課す租庸調制により財政の確保を図るとともに，八旗と呼ばれる兵制を整備した。

3 フビライ・ハンによって建国された元は，大都を都と定め，中国全土を支配するため，財政などの実務にモンゴル人，色目人を優遇して，漢人，南人を差別するとともに，交鈔と呼ばれる紙幣も発行した。

4 ヌルハチによって建国された明は，南京を都と定め，実務機関の六部を皇帝の直属として，皇帝の権力を強化し，戦乱で荒廃した農村の復興を目指すとともに，土地台帳（魚鱗図冊）や租税台帳（賦役黄冊）をつくって徴税の徹底を図った。

5 康熙帝によって建国された清は，北京を都と定め，漢人の将軍たちが起こした太平天国の乱を鎮めて大帝国をうち建て，科挙などの明の諸制度を引き継ぐものの，儒学など中国の伝統文化の継承には制限を加えた。

解答欄

解説 46

1× 唐の都は**洛陽**ではなく**長安**である。また，唐の官僚採用の制度は，前代の隋に始まった科挙である。

2× 北宋の都は**開封**。また，均田制・租庸調制は**隋・唐の税制**，八旗は**清**の兵制である。

3○ 交鈔は華北を支配した金が12世紀中頃に戦費調達のために発行したのが最初であり，**元もこれを受け継いだ**が，濫発したためにインフレを招いた。

4× **ヌルハチ**ではなく**朱元璋（洪武帝）**である。**ヌルハチは解説5を参照。**

5× 清を建国したのは**ヌルハチ**。当初は後金という国名であり，清と改称されたのはヌルハチの死後で，皇帝は**太宗（ホンタイジ）**である。**康熙帝は4代皇帝**（17世紀後半〜18世紀初）である。また，**太平天国の乱は19世紀半ば**のことである。

解答　　3

世界史

No.**47**　　　　　　　　　**中世のヨーロッパ**　　　🅐 重要度

中世のヨーロッパに関する記述として最も妥当なのはどれか。

1　十字軍の遠征は，ビザンツ帝国に奪われた聖地イェルサレムの奪回を目的として行われたが，数度の遠征の結果，ローマ教皇の権威が非常に弱体化した。

2　イギリスのジョン王は，フランス国内の領土を拡大するとともに，大憲章（マグナ・カルタ）を発して貴族・聖職者への課税強化を行い，絶対王政を確立した。

3　イギリスとフランスは毛織物業の中心地フランドルの支配をめぐり百年戦争を起こしたが，フランス優位のままに戦争は終わり，次の王権は強化された。

4　神聖ローマ帝国の中核を構成したドイツでは，大諸侯の力が強く，また，歴代の皇帝がポーランドに力を注いでドイツの統治に熱心でなかったため，統一国家は形成されなかった。

5　イベリア半島では11世紀にスペイン王国やポルトガル王国が建国されたが，十字軍の遠征の失敗を契機としてイスラム勢力が侵入した。これをレコンキスタという。

解答欄 [　　　　　]

解　説　47

1×　**イェルサレム**を占領したのは**ビザンツ帝国**ではなく，**イスラム系のセルジューク朝**である。

2×　**大憲章（マグナ・カルタ）**は，**1215**年，貴族が団結して，フランスと戦って敗れ，大陸領の大半を喪失した**ジョン王に王権の制限を認めさせたもの**。イギリスの絶対王政は，15世紀後半のヘンリー7世が強化した。

3○　記述のとおりである。

4×　ポーランドではなく**イタリア**である。

5×　**ポルトガル王国**は**12世紀**，**スペイン王国**は**15世紀**に成立した。スペイン王国は成立するとまもなく，イベリア半島からイスラム勢力を駆逐した（1492）。ここに至る経過を，**レコンキスタ（国土回復運動）**と呼ぶ。イスラムがイベリア半島に侵入したのは，はるか昔の8世紀（後ウマイヤ朝）のことである。

解答　**3**

中国の王朝

中国の王朝に関する記述として最も妥当なのはどれか。

1　漢の高祖は急激な中央集権化を避けて郡国制を整備した。しかし，匈奴の冒頓単于と戦って敗れ，屈辱的な和平を結ばされた。

2　唐の玄宗は，中国の南北を結ぶ大運河を完成させるなど国内整備に努め，その治世は貞観の治と呼ばれたが，楊貴妃の一族を重用したことなどから，黄巾の乱が起こり，国家は衰退した。

3　北宋の太祖（趙匡胤）は，唐代の官僚制の腐敗から，官僚登用試験である科挙を廃止し，新たに九品中正と呼ばれる官吏登用制度を定めて皇帝の権力を強化した。

4　モンゴル帝国のフビライ・ハンは，北宋を滅ぼし国号を元とした後は，中央行政機関にモンゴル人と漢人を同数配置し，漢語を公用語にするなど漢民族を懐柔しようとした。

5　明の永楽帝は，都を南京から北京に移し，対外積極策をとった。宦官鄭和を西域に派遣し，多くの国に朝貢を求めた。

解答欄

解説 48

1 ○　記述のとおりである。

2 ×　大運河を開いたのは唐の前の王朝である**隋の煬帝**。また，楊貴妃の一族を重用したのは玄宗だが，この時代に起こったのは，**黄巾の乱**ではなく，**安史の乱**である。また，貞観の治は**2代皇帝太宗の治世**である。

3 ×　北宋の太祖（趙匡胤）は**科挙を整備**して官僚組織を強化した。また，**九品中正は三国時代の魏が採用した**官吏登用制度である。

4 ×　**北宋**ではなく**南宋**を滅ぼした元では「モンゴル人→色目人→漢人→南人」というランクで差別をして，**モンゴル人第一主義**を取った。

5 ×　明の永楽帝は宦官を積極的に採用した。また，鄭和を派遣したのは**西域**ではなく，**南海**であり，アフリカにまで達したといわれる。

解答　1

空欄にあてはまる語句を書きなさい。

1　前19世紀に成立した古バビロニア王国は，（　）を都として栄えたが，6代目の王（　）の時に，最盛期を迎え，シュメール法を継承した法典を制定した。

2　前5世紀～前3世紀に栄えた（　）朝ペルシアの（　）は，ギリシア征服を試みて，3度にわたって侵略したが，いずれも失敗に終わった。

3　共和政ローマでは，前1世紀，ポンペイウス，クラッスス，（　）の3人が，第1回（　）政治を行った。

4　ローマ帝国の4世紀初頭の皇帝（　）は，（　）を発して，キリスト教を公認した。

5　前2世紀末，秦は人心を失って，農民の反乱「陳勝・呉広の乱」で混乱した。それに乗じて挙兵した（　）は，項羽を破って全国を統一し，（　）王朝を開いた。

6　チンギス・ハンの孫の（　）は，カラコルムから大都に遷都し，国号を元と改めた。1279年には（　）を滅ぼして，中国全土を支配するに至った。

7　6世紀後半，アラビア半島の（　）に生まれたムハンマド（マホメット）は，アッラーから啓示を授けられた預言者であるとし，（　）を開いた。

8　476年，（　）が滅亡して以来，ビザンツ帝国を後ろ盾にするコンスタンティノープルの教会とローマ教会は首位権で対立，726年の（　）論争で反発したローマ教会は，フランク王国に接近するようになった。

○ 正 解 ○

1　バビロン　ハムラビ（ハンムラビ）

2　アケメネス　ダリウス1世（ダレイオス1世）　★ペルシア戦争

3　カエサル（シーザー）　三頭

4　コンスタンティヌス　ミラノ勅令　★ニケーア公会議（325）

5　劉邦　前漢　★長安

6　フビライ　南宋

7　メッカ　イスラム教

8　西ローマ帝国　聖像崇拝　★レオン3世

9　1095年，教皇（　　）は，クレルモンに公会
　議を召集し，聖地回復のために（　　）を派遣す
　ることを宣言した。

10　百年戦争の後期，東フランスのドンレミに生ま
　れた少女（　　）は，英軍の包囲を解いて進軍し，
　1429年，（　　）の戴冠式を実現させた。

11　イベリア半島の大半は，7世紀以来イスラム教
　徒の支配を受けていたが，（　　）と呼ばれるキリ
　スト教徒の国土回復運動が盛んになり，1492年
　に至って，イスラム教徒の最後の根拠地（　　）
　を陥落させた。

12　アメリカ大陸に栄えていた文明は，コンキスタ
　ドレスと呼ばれるスペイン人に征服されて滅亡し
　た。メキシコのアステカ王国は（　　），ペルーの
　インカ帝国は（　　）に滅ぼされた。

13　スペインとイギリスは，宗教問題や領土問題で
　対立していたが，1588年，スペインの（　　）
　はイギリス海軍に大敗し，以後，スペインは政治
　的・軍事的に衰退に向かうことになる。

14　17世紀半ば，幼少で即位したフランスの（　　）
　は，王権の強化に尽力し，「朕は国家なり」と称し
　て，（　　）を唱えた。

15　17世紀初め，ドイツの諸侯はプロテスタント連
　合とカトリック連盟に分かれて対立していたが，
　1618年，ついに（　　）戦争が始まった。この
　戦争を終結させたのは（　　）条約であった。

○ 正 解 ○

9　ウルバヌス2世（ウル
　バン2世）
　十字軍

10　ジャンヌ・ダルク
　シャルル7世

11　レコンキスタ
　グラナダ
　★スペイン王国

12　コルテス　ピサロ
　★マヤ文明

13　無敵艦隊（アルマダ）

14　ルイ14世
　王権神授説

15　三十年
　ウェストファリア

地理

世界の海流

世界の海流に関する記述として最も妥当なのはどれか。

1 ペルー海流は，南アメリカ大陸西岸を南下して流れる暖流であるが，この海流が弱まると南極から寒流が北上し，海水温の急低下が起こる。これはエルニーニョと呼ばれる現象で，世界中に異常気象を発生させる。

2 カリフォルニア海流は，北アメリカ大陸西岸を北上し，アラスカ半島の沖合に達する寒流である。この海流とモンスーンの影響を受けて，東太平洋には好漁場が形成されている。

3 北大西洋海流は，ヨーロッパ西岸を流れて北極海に入る暖流である。この海流と偏西風のおかげで，ヨーロッパ北部は高緯度にもかかわらず，冬も温暖で，ノルウェーは不凍港をもつことができ，伝統的に水運業と水産業が盛んである。

4 千島海流（親潮）は，日本列島の太平洋沿岸を南下する。栄養分が少ないため，魚の種類は少なく，東北日本の太平洋岸の気温を下げ，冷害の原因ともなる。

5 ベンゲラ海流は英仏海峡からスペインへと南下する寒流で，南ヨーロッパとアフリカの沖合に世界最大の漁場を形成する。

解答欄

解説 49

1× ペルー海流（フンボルト海流）は，**南アメリカ大陸の西岸**を**南**から**北**に流れる**寒流**。ペルー沖などではクリスマスの頃に，この海流が弱まり水温が上がる。すると，寒流系の魚が取れなくなり，大雨ともなり漁業・農業に大きな影響を与える。この現象を「**エルニーニョ**」（幼児のキリスト）と呼び，世界中に異常気象をもたらす。

2× **カリフォルニア海流**は，北アメリカ大陸西岸を**北**から**南**に流れる**寒流**。

3○ 記述のとおりである。

4× 千島海流が「**親潮**」と呼ばれるのは，栄養分に富み，多くの種類の魚を生み出す海流だからである。「冷害の原因ともなる」という記述は正しい。

5× **ベンゲラ海流**は，**喜望峰**の沖から**北**へ流れる**寒流**である。また，南ヨーロッパとアフリカ西岸の大西洋中東部漁場は，それほどの好漁場ではない。世界最大の漁場は，**太平洋北西部漁場（日本近海も含まれる）**である。

解答 3

政治
経済
社会情報
日本史
世界史
地理
文学芸術
国語
数学
物理
化学
生物
地学
英語
現代文古文
資料解釈
判断推理空間把握
数的推理

地 理

No. **50** | # アフリカ・西アジアの農業・産業 重要度

アフリカ及び西アジアにおける農業や産業に関する記述として最も妥当なのはどれか。

1 アフリカ西部は家畜の放牧が盛んであったが，過度の放牧と気候の変動などにより砂漠化が進んだため，その対策としてニジェール川にアスワンハイダムが建設され，畑作農業が奨励された。

2 アフリカ中南部の国々は，19世紀に植民地化されて，ヨーロッパ資本による小麦などの穀物をはじめとする輸出作物の栽培が拡大した。その結果，国内でも食糧を自給できるようになっている。

3 アフリカ中南部は石油に恵まれていないが，他の天然資源は豊富で，南アフリカ共和国のコパーベルトの銅や，ケニア共和国のキンバリーの金・マンガンの産出量は世界一である。

4 イスラエルは，聖書に「乳と蜜の流れる国」と記されているように，自然に恵まれているために，灌漑施設をほとんど施さないままで農業生産を行い，めざましい収穫を上げている。

5 西アジア，とくにイランやイラクでは，地表に水路を作っても，蒸発したり地中に埋没してしまうために，カナートと呼ばれる地下水路による灌漑農業が行われている。

解答欄

解 説 50

1× **アスワンハイダム**はニジェール川ではなく，**ナイル川中流部**に位置しており，アスワンダムより約7km上流にある。

2× アフリカ中南部では，植民地化時代の**プランテーション**が行われ，**穀物**ではなく，**カカオ**，**コーヒー**，**落花生**などの単一作物（モノカルチャー）が多い。穀物生産が少ないので，食糧不足に苦しんでいる。

3× アフリカ中南部は，**ナイジェリア**など，**石油資源**に恵まれた国が**多い**。また，後半の**コパーベルト**は**ザンビア**であり，**キンバリー**は**南アフリカ共和国**である。

4× イスラエルは，国土の大半が砂漠や乾燥した**ステップ**。国が大規模な**灌漑施設**を建設し，入植者による開拓が行われている。

5○ 記述のとおりである。

解答　5

No. 51　東南アジアの民族・宗教・言語　 Ⓑ 重要度

アジア各国の民族・宗教・言語に関する A ～ D の記述のうち，妥当なもののみを挙げているのはどれか。

A インドネシアには多様な民族が住んでいるが，国民の過半数がイスラム教徒である。また，オランダから独立したため，公用語はオランダ語である。

B シンガポールはマレーシアから分離した国で，中国系住民が過半数を占めるが，英語や中国語など，複数の言語が公用語となっている。

C ベトナムは古くからヨーロッパと接触していたので，キリスト教徒が多いが，仏教やイスラムも盛んである。公用語はベトナム語とフランス語である。

D タイでは，タイ族が大半を占めるが，中国系，マレー系，山岳少数民族もいる。仏教徒が大多数で，公用語はタイ語。

1 A，B
2 A，C
3 A，D
4 B，C
5 B，D

解答欄

解説 51

A× **インドネシアは国民の大多数がマレー系**であり，公用語は**インドネシア語**である。

B○ **記述のとおりである。**

C× **ベトナムの宗教は仏教（大乗仏教）**が圧倒的であり，また公用語は**ベトナム語だけ**である。

D○ **記述のとおりである。**

したがって，正解は **5** である。

解答　5

➕プラス知識

フィリピン
　公用語はフィリピン語と英語。首都はメトロ・マニラ。人口は約1億904万人で，宗教は90％以上が**キリスト教（カトリック**がほとんど）であるが，ミンダナオ島には**イスラム教徒**が多く住民の2割以上を占めている。（2023年7月現在，外務省HP）

No. **52**　　　**各国のエネルギー供給**　　Ⓐ重要度

政治
経済
社会情報
日本史
世界史
地理
文学芸術
国語
数学
物理
化学
生物
地学
英語
現代文古文
資料解釈
総推理
数的推理

　下のグラフは，2022年における各国の1次エネルギー供給構成を表したものである。A，B，C，Dに該当するものの組合せとして，正しいものはどれか。

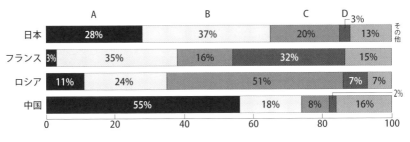

	A	B	C	D
1	石油	天然ガス	原子力	石炭
2	原子力	石炭	石油	天然ガス
3	石油	石炭	原子力	天然ガス
4	石炭	石油	天然ガス	原子力

解答欄 [　　　　]

解 説 52

　日本では，東日本大震災後，一時は**原子力**による1次エネルギー供給割合は0.0％まで減少したが，2015年以降，再稼働している。また，**フランス**は，世界一原子力発電の割合が高い国として有名である。よって，Dが**原子力**となる。

　ロシアは有数の**天然ガス**生産国であり，また，中国は**石炭**の生産で圧倒的なシェアを誇っている。よって，Cは**天然ガス**，Aは**石炭**となる。

　したがって，正解は**4**である。

解答　**4**

➕プラス知識

　世界各国の漁獲高（養殖業含む）・米生産高・小麦生産高のランキング（資料・水産白書等）を掲げておこう。

漁 獲 高 (2021)	①**中国**	②インドネシア	③ペルー（日本は⑧）
米 生 産 高 (2021)	①**中国**	②インド	③バングラデシュ（日本は⑫）
小麦生産高 (2021)	①**中国**	②インド	③ロシア（実質1位は**EU**）

地図の図法

重要度

地図に関する記述として最も妥当なのはどれか。

1 サンソン図法では，緯線は平行直線，中央経線以外の経線は楕円曲線である。

2 モルワイデ図法では，緯線は平行直線で長さが正しく，中央経線は直線だが，それ以外の経線はすべて正弦曲線である。面積が正しく表示される。

3 グード図法では，地図の中心と任意の点を結んだ直線は大圏コースを示し，図の中心から任意の点までの距離・方位が正しく表される。

4 メルカトル図法では，赤道の長さは正しく，経線と緯線はそれぞれ平行する直線であり，直交している。

5 ボンヌ図法は，サンソン図法とモルワイデ図法をつなぎ合わせたものであり，大陸の形をみやすくするために，海洋部で経線に沿って切込みが入れてある。

解答欄

解説 53

1 × **モルワイデ図法**の説明である。

2 × **サンソン図法**の説明である。

3 × **正距方位図法**の説明である。

4 ○ **メルカトル図法**の説明である。この問題は一見難しいようだが，メルカトル図法の説明が明解なので，正解を見つけるのは容易であろう。

5 × サンソン図法とモルワイデ図法をつなぎあわせたものは**ボンヌ図法**ではなく，**グード（ホモロサイン）図法**である。

解答 **4**

➕プラス知識

メルカトル図法
　世界全図を描くときによく使われるが，極地方の面積が赤道近辺に比べてずっと**拡大**されている。そのため，グリーンランドがオーストラリアより大きく描かれるなどの問題がある。

No. 54 地　形   重要度

地形に関する記述 A ～ D の正誤の組合せとして正しいのはどれか。

A　氷期の海面の低い時期に浸食された谷が海面の上昇によって沈水してできたフィヨルドは，ノルウェー西岸やチリ南部などに見られる。

B　山地から河川によって運ばれる大量の土砂により河口付近にできる三角州は，地盤が低湿で軟弱であるため，大都市が立地することは少ない。

C　河川の活発な浸食により山地から大量の土砂が運ばれ，その土砂の堆積により形成されたのが沖積平野である。

D　扇状地は川が大地から急に平野に出る所に形成される。その中央部（扇央）は，水利に恵まれているので，麦を栽培する畑に利用されることが多い。

	A	B	C	D
1	正	正	正	誤
2	正	誤	正	誤
3	正	誤	誤	正
4	誤	正	正	誤
5	誤	正	誤	正

解答欄

解　説　54

A○　記述のとおりである。

B×　三角州は地盤が低湿で軟弱であることは問題文のとおりだが，**大都市**は**三角州**に立地することが多い。

C○　記述のとおりである。

D×　**扇央**は砂が粗いので，川の水が地下にしみこみやすい。そのために，**水利に恵まれず，穀物は育ちにくい**。そのため，**桑畑**や**果樹園**に利用されることが多い。

したがって，正しいのは **A** と **C** で，正解は **2** となる。

解答　2

政治
経済
社会情報
日本史
世界史
地理
文学芸術
国語
数学
物理
化学
生物
地学
英語
現代文古文
資料解釈
判断推理空間把握
数的推理

世界の人々と住居

重要度

世界の人々と伝統的な住居に関する記述として最も妥当なのはどれか。

1 フィジーの人々は，オアシスのかたわらに，木で土台を作り，その上に石を使って建設した家に住んでいることが多い。

2 ベドウィンは，山羊の毛などで織ったものを支柱にかぶせたテントに住んでいることが多い。

3 モンゴルの人々は丸太を組み合わせたログハウスに住んでいることが多い。

4 シベリアのツンドラ地帯では，氷が生じないように，建物の床を地面に密着させて建てる。

5 イランの人々は，特に海岸地域では，葦で作られた家に住んでいることが多い。

解答欄

解説 55

1× フィジーは南太平洋のメラネシアに位置するので，**オアシスは存在しない**。フィジーには，石や土の土台の上に，木の柱を立てて，竹や草で囲い，草や木の葉で屋根をふく，**ブレ**という家屋がある。

2○ 記述のとおりである。

3× **モンゴル**では，遊牧に便利なように，羊の毛で作った円形のフェルト張りの組み立て式テントを携えて移動する。このテントをモンゴルでは**ゲル**，中国では**パオ**と呼ぶ。

4× シベリアの**ツンドラ地帯**では，暖房で地面の表面が溶けて，建物が倒壊するのを防ぐために，地面と建物の床の間に1～2mの**空間を作る**。

5× **イラン**は乾燥地帯が広いために，森林が少ない。したがって，木材が利用しにくいので，**土や日干しれんが**を使って，家屋を作る。

解答　2

フォローアップ （★は関連用語）

地 理

空欄にあてはまる語句を書きなさい。

1 （　　）は河床が周辺より高い川である。自然堤防が高くなった場合もあり，また人工堤防のためである場合もある。

2 南アメリカ大陸の太平洋岸では，（　　）風が弱いときには，数年に一度，クリスマスの頃に水温が高くなる。この現象を（　　）という。

3 夏は乾燥し，冬は多雨の（　　）性気候の地域では，穀物のほかに（　　），オレンジ，ブドウなどの果樹を主作物とする。

4 （　　）川はアメリカ合衆国西部の（　　）山脈を水源とし，コロラド高原を横断してカリフォルニアに注ぐ。

5 （　　）は，元は東パキスタンであったが，1971年に独立した。宗教は（　　）教が圧倒的である。

6 アフリカ東部では，現地の諸言語とアラビア語の影響を受けた（　　）語が共通語になっている。

7 （　　）共和国では，20世紀に入ってから，白人の支配下で人種差別・隔離政策が行われていた。この政策をオランダ語で（　　）というが，1991年に撤廃された。

8 ヨーロッパでは，民族と宗教が密接に結びついている場合が多い。大きく3つに分類されるが，それはプロテスタント系のゲルマン民族，カトリックを奉じる（　　）民族，（　　）のスラブ民族である。

○ 正 解 ○

1 天井川

2 貿易　エルニーニョ

3 地中海　オリーブ

4 コロラド
ロッキー

5 バングラデシュ
イスラム

6 スワヒリ

7 南アフリカ
アパルトヘイト

8 ラテン
ギリシア正教（正教会派）

9 ヨーロッパ諸国の中で，民族がアジア系統であるのは，ドナウ川が国土の中央を流れる（　　）と，北欧の（　　）である。

10 アレクサンドロス大王を生んだ（　　）と，第一次大戦のきっかけを作ったセルビアは，ともに戦後長く（　　）の一部であった。

11 旧ソ連の中で，（　　）を首都とする（　　）は豊かな穀倉地帯で，ドニエプル川の水力を利用した工業が盛んである。

12 世界有数の漁業国である（　　）は，日系の大統領を出したことでも，日本人には馴染みが深い。また，（　　）帝国の故地でもある。

13 オーストラリアの輸出入合計の第一の相手国は長らく（　　）だったが，その後（　　）に変わった。しかし，2008/2009年度の統計からは中国になった。

14 地球は24時間で一周するので，経度が（　　）度異なると，1時間の時差が生じる。

15 1961年に結成された（　　）は，先進資本主義国の貿易推進と途上国援助の調節を図ることを目的にしている。先進国クラブと呼ばれることもある。

16 （　　）は，途上国の産油国がメジャーと呼ばれる国際石油資本に対抗するために，1960年に結成したものである。

17 （　　）：関税及び貿易に関する一般協定は，貿易の自由化と多角化を進めるのが目的だが，1995年，新たに（　　）が発足して吸収された。

○ 正 解 ○

9 ハンガリー
フィンランド

10 マケドニア
ユーゴスラビア

11 キエフ　ウクライナ

12 ペルー　インカ

13 イギリス　日本

14 15

15 OECD（経済協力開発機構）

16 OPEC（石油輸出国機構）

17 GATT
WTO（世界貿易機関）

文学
芸術

知識分野

日本の作家

重要度

日本の作家に関する記述として妥当なもののみを挙げているのはどれか。

A　川端康成：『仮面の告白』『潮騒』『金閣寺』などの作品を発表し，独自の美意識を表現した。後にナショナリズムに傾倒し，自衛隊市ヶ谷駐屯地に乱入して決起を訴え，割腹自殺する。

B　司馬遼太郎：新聞社に勤務した経歴をもつが，『梟の城』で直木賞を受賞，その後専業作家となる。『竜馬がゆく』『国盗り物語』などの歴史小説を発表し，独自の歴史観を確立した。

C　山本周五郎：新聞社勤務時代に発表した『闘牛』で芥川賞を受賞。現代小説や歴史小説，自伝的小説，中国の西域を舞台にした小説など幅広いジャンルの作品を残した。代表作は『氷壁』『風林火山』『天平の甍』『あすなろ物語』など。

D　大江健三郎：戦後の閉塞した状況下に生きる人間の姿を描き，新たな世代の文学の旗手として脚光を浴びる。安保闘争や核問題など，政治や社会問題と積極的にかかわりながら作家活動を展開している。代表作は『飼育』『個人的な体験』『万延元年のフットボール』など。

E　山崎豊子：ネズミの大増殖という異常事態を描いて人間社会を風刺した小説『パニック』で注目を集め，『裸の王様』で芥川賞を受賞。小説のほか，世界各地を取材してルポルタージュや旅行記，随筆なども数多く残す。

1 A，B　　　**2** A，E　　　**3** B，D

4 C，E　　　**5** D，E

解答欄

解説 56

A ×　**三島由紀夫**に関する記述である。**川端康成**は繊細で叙情豊かな作風で知られるノーベル賞作家。代表作に『**伊豆の踊子**』『**雪国**』『**古都**』などがある。

B ○　**司馬遼太郎**の歴史観は「**司馬史観**」と呼ばれる。作品にはほかに，『**功名が辻**』『**坂の上の雲**』などがある。

C ×　**井上靖**に関する記述である。作品にはほかに，『**敦煌**』『**しろばんば**』などがある。**山本周五郎**は『**樅ノ木は残った**』『**青べか物語**』などで知られる作家である。

D ○　**大江健三郎**は 1994 年に**ノーベル文学賞**を受賞している。

E ×　**開高健**に関する記述である。**山崎豊子**の代表作は『**花のれん**』『**白い巨塔**』『**不毛地帯**』などである。

解答　　3

文学・芸術

No. 57

海外の文学者

 重要度

海外の文学者に関する記述として妥当なもののみを挙げているのはどれか。

A　ゲーテはドイツの小説家・詩人・劇作家である。青年期にはシュトゥルム・ウント・ドラング（疾風怒濤）運動の旗手として活躍。のちに，シラーとともにドイツ古典主義を完成した。代表的な作品に『ファウスト』『若きウェルテルの悩み』などがある。

B　ディケンズはイギリスの小説家である。功利主義的な社会を批判し，人間性の回復を訴える作品を書いた。代表的な作品に『クリスマスキャロル』『デイヴィッド・コパーフィールド』などがある。

C　ドストエフスキーはロシアの小説家である。農民の生活改善に尽力し，文学だけではなく政治面にも大きな影響を与えた。代表的な作品に『戦争と平和』『アンナ・カレーニナ』などがある。

D　スタンダールはフランスの小説家で，自然主義を代表する作家である。作品には，『脂肪の塊』『女の一生』『ベラミ』などがある。

1　A，B
2　A，D
3　B，C
4　B，D
5　C，D

解答欄

解説 57

A○　**シュトゥルム・ウント・ドラング**とは 18 世紀後半に**ドイツ**で起きた**文学の革新運動**。人間の個性や自由な感情の解放を目指した。

B○　その他の代表作には『**オリバー・トゥイスト**』や『**二都物語**』などがある。

C×　**トルストイ**に関する記述である。**ドストエフスキー**はロシアのリアリズムを代表する小説家で，代表作は『**罪と罰**』『**カラマーゾフの兄弟**』などである。

D×　**モーパッサン**に関する記述である。**スタンダール**はフランスの小説家で，代表作は『**赤と黒**』『**パルムの僧院**』など。

解答　1

海外の小説

重要度 A

次のうち，海外の小説に関する記述として妥当なもののみを挙げているのはどれか。

A　魯迅の『阿Q正伝』は，激動の中国を舞台に，苦難の後に大地主になった農民・王龍を中心とする物語である。

B　ヘミングウェイの『老人と海』は，巨大な白鯨に片足を食い切られた捕鯨船の船長の復讐をめぐる物語である。

C　モームの『月と六ペンス』は，画家ゴーギャンをモデルに書かれた物語である。

D　E. ブロンテの『嵐が丘』は，不況に悩むアメリカを舞台に，先祖伝来の地から西部に追われる貧しい農民の苦難を描いた物語である。

E　ミッチェルの『風と共に去りぬ』は，アメリカ南部の大農園主の娘に生まれた主人公が，南北戦争の動乱をたくましく生き抜く物語である。

1　A，B

2　A，C

3　B，D

4　C，E

5　D，E

解答欄

解説 58

A×　**アメリカの女流作家**で，中国で育った**パール・バック**の『**大地**』に関する記述である。**魯迅**は中国の作家で，『**阿Q正伝**』は辛亥革命の頃の中国を舞台に，貧農「阿Q」の生きざまを描いた物語である。

B×　アメリカの作家，**メルヴィル**の『**白鯨**』に関する記述である。**ヘミングウェイ**はアメリカの作家で，『**老人と海**』はキューバの老漁師と大魚との死闘を描いた作品。ほかに『**武器よさらば**』『**日はまた昇る**』などの作品がある。

C○　**モーム**は**イギリス**の作家。ほかに『**人間の絆**』などの作品がある。

D×　アメリカの作家，**スタインベック**の『**怒りの葡萄**』に関する記述である。**E. ブロンテ**はイギリスの女流作家で『**嵐が丘**』は孤児ヒースクリフの愛と復讐を描いた物語である。

E○　**ミッチェル**はアメリカの**女流作家**である。

解答　4

No. 59　日本の伝統芸能

B 重要度

政治
経済
社会
情報
日本史
世界史
地理
文学
芸術
国語
数学
物理
化学
生物
地学
英語
現代文
古文
資料
解釈
判断推理
空間把握
数的
推理

　日本の伝統芸能に関する記述 A ～ D と，あてはまる芸能の名称の組合せとして妥当なのはどれか。

A　猿楽から発展した歌舞劇で，室町時代に大成された。舞と謡(うたい)，囃子(はやし)が中心的な要素。主役は「シテ」とよばれ，面と華やかな衣装をつけるのが一般的。

B　話芸の一つ。登場人物の会話のやりとりを中心に，筋のある話を展開していき，最後に「おち」をつけて聞き手を楽しませる。

C　江戸時代に大成された庶民芸能。舞踊や音楽，演技など様々な要素で観客を楽しませる。「隈取(くまどり)」という独特の化粧法や「見得(みえ)」という演出技法が有名。

D　滑稽な物真似から発展した喜劇で室町時代に成立した。セリフには口語が用いられ，扮装(ふんそう)も質素である。世相や庶民の生活を反映したものが多い。

	A	B	C	D
1	能	落語	歌舞伎	狂言
2	能	講談	歌舞伎	狂言
3	能	講談	文楽	狂言
4	狂言	落語	文楽	能
5	狂言	講談	歌舞伎	能

解答欄

解説 59

A　**能**である。**世阿弥**によって大成された。古典文学や民間伝承を題材とする。

B　**落語**である。**江戸系**と**上方系**があり，同じ話でも演出が異なる場合がある。

C　**歌舞伎**である。**出雲の阿国**の「かぶき踊り」が起源とされる。

D　**狂言**である。能と同じく，猿楽から発展した。**能と能の間**に独立して演じられるものと，**能の曲中**に演じられる**間狂言(あいきょうげん)**がある。

　講談は仇討や武勇伝などの物語を調子をつけて面白く読み聞かせる話芸。**文楽**は三味線伴奏の浄瑠璃に合わせて人形を操る人形劇で，もとは**人形浄瑠璃**と呼ばれたが，明治末頃より**文楽**と呼ばれるようになった。

解答　**1**

19世紀以降に活躍した西洋の画家に関する説明として妥当なもののみを挙げているものはどれか。

A　ムンクはオランダの画家で、印象派と日本の浮世絵の影響を受けた画家の一人である。力強い筆致と独特の色づかいが特徴。代表作に『ひまわり』『アルルのはね橋』『糸杉』などがある。

B　ピカソはスペインの画家で、「青の時代」「ばら色の時代」など生涯に幾度も画風を変えたことで知られる。キュビスムの創始者の一人。代表作は『アビニョンの娘たち』『ゲルニカ』など。

C　モネはフランスの画家。明るい色彩を用いた都会的な感覚の絵画を描き、印象派に大きな影響を与えた。代表作は『草上の昼食』『オランピア』など。

D　モディリアーニはイタリアの画家で、エコール・ド・パリの一人。細長い首と愁いを帯びた表情の女性像で知られる。代表作は『おさげ髪の少女』など。

E　ゴッホはフランスの画家で、パリ近郊のバルビゾン村で農民の日常生活を描いた。代表作に『落穂拾い』『種まく人』などがある。

F　クリムトはオーストリアの画家で、金箔を用いるなど装飾性が高く象徴的な絵画を描いた。代表作は『接吻』など。

1　A, B, C　　　　**2**　A, C, F　　　　**3**　B, D, F
4　B, C, D　　　　**5**　D, E, F

解答欄 ☐

解　説　60

A×　ゴッホに関する記述である。**ムンク**は**ノルウェー**の画家で、生と死、恐怖や不安、孤独など人間の**内面的な情感**を描いた。代表作は『**叫び**』など。

B○　記述のとおりである。

C×　マネに関する記述である。**モネ**はフランスの画家で**印象派を代表**する画家。彼の作品『**印象・日の出**』が「印象派」の呼称の由来となった。ほかに代表作として『**睡蓮**』などがある。

D○　**エコール・ド・パリ**とは第一次大戦後から第二次大戦前頃にかけてパリで制作していた画家たちのことで、**モディリアーニ**のほか、**シャガール、藤田嗣治、ユトリロ**などがいる。

E×　**ミレー**に関する記述である。**ミレー**や**コロー**など、バルビゾン村で制作した画家を総称して「**バルビゾン派**」と呼ぶ。

F○　記述のとおりである。

解答　**3**

文学・芸術

No. 61 　　　　　　　　　　**西洋の音楽家（1）**　　　　　Ⓐ 重要度

　西洋の音楽家に関する記述 A，B，C と人名との組合せとして最も妥当なのはどれか。

　A　イタリアの作曲家でバイオリン奏者。新たな協奏曲の形式を確立し，後進の音楽家に大きな影響を与えた。代表作に『四季』などがある。

　B　ドイツの作曲家でオルガン奏者。バロック音楽を集大成した。代々，音楽家を輩出した一族の出身で，宮廷オルガニストを務めた。代表作に，『トッカータとフーガ　ニ短調』『ブランデンブルク協奏曲』などがある。

　C　ドイツ出身で，後にイギリスで活動した作曲家。後期バロックを代表する音楽家の一人。オペラやオラトリオで優れた作品を残した。代表作に，オラトリオ『メサイア』や管弦楽曲『水上の音楽』などがある。

	A	B	C
1	ヴィヴァルディ	ヘンデル	J. S. バッハ
2	ヴィヴァルディ	J. S. バッハ	ヘンデル
3	ヴィヴァルディ	J. S. バッハ	ハイドン
4	ヘンデル	J. S. バッハ	ハイドン
5	ヘンデル	ヴィヴァルディ	J. S. バッハ

解答欄 □

解　説　61

A　**ヴィヴァルディ**に関する記述である。

B　**J.S. バッハ**に関する記述である。作品にはほかに『**マタイ受難曲**』『**G線上のアリア**』などがある。

C　**ヘンデル**に関する記述である。なお，オラトリオとは，宗教的な物語を軸に，独唱・合唱・管弦楽を構成した楽曲のことである。演技を伴わずに演奏する点でオペラと異なる。

　ヴィヴァルディ，J.S. バッハ，ヘンデルはいずれも 17 世紀後半から 18 世紀半ばの**バロック**と呼ばれる時代の音楽家である。選択肢に挙げられている**ハイドン**はオーストリアの作曲家で 18 世紀後半から 19 世紀初期の**古典派**と呼ばれる音楽家である。交響曲や器楽曲，オペラ，オラトリオなど多くの作品を残した。代表作はオラトリオ『天地創造』など。

解答　　2

西洋の音楽家 (2)

重要度

次のうち，音楽家の記述として最も妥当なものはどれか。

1　ヴェルディは，イタリアの作曲家で，イタリアオペラの完成者といわれる。人物の性格描写が巧みで，表現が直接的であるのが作品の特徴。代表作には『リゴレット』『椿姫』『アイーダ』などがある。

2　シューベルトは，オーストリアの作曲家で，幼時から非凡な才能を示し，600曲以上の作品を残すも，30代半ばで世を去った。代表作には，交響曲，協奏曲，室内楽曲をはじめ歌劇『フィガロの結婚』『魔笛』などがある。

3　リストは，ポーランドの作曲家で，ピアニスト。パリを中心に活躍し，華麗で優雅でありながらも愁いを帯びたピアノ音楽を創造し，ピアノの詩人と呼ばれた。代表作には『別れの曲』『英雄ポロネーズ』などがある。

4　ドビュッシーは，ロシアの作曲家で，ヨーロッパの伝統に根ざしつつも，ロシア的な要素を取り入れた作品を残した。代表作にはバレエ音楽『白鳥の湖』や『眠りの森の美女』などがある。

5　ベートーベンは，ドイツの作曲家。劇と大規模な管弦楽を緊密に結びつけた楽劇を創始し，音楽と演劇の融合した総合芸術を目指した。代表作には『タンホイザー』『ローエングリン』などがある。

解答欄

解 説 62

1○　記述のとおりである。

2×　**モーツァルト**に関する記述である。**シューベルト**はオーストリアの作曲家で，歌曲の隆盛期を築いた。代表作は『**魔王**』や『**野ばら**』など。

3×　**ショパン**に関する記述である。**リスト**はハンガリーの作曲家で，超絶した技巧をもつ**ピアニスト**として活躍した。代表作は『**ハンガリー狂詩曲**』など。

4×　**チャイコフスキー**に関する記述である。**ドビュッシー**は**フランス**の作曲家で音楽の世界に印象派と呼ばれる作風を確立し，『**子供の領分**』などを作曲した。

5×　**ワーグナー**に関する記述である。**ベートーベン**はドイツの作曲家で，聴力を失いながらも，交響曲や協奏曲，ピアノソナタなど多数の傑作を残した。代表作には交響曲『**運命**』『**英雄**』，ピアノソナタ『**月光**』などがある。

解答　**1**

文学・芸術
No.63 　　　世界の音楽・舞踊　　　C 重要度

世界の音楽・舞踊の説明として妥当なもののみを挙げているのはどれか。

A　ガムランはタイで演奏される合奏音楽で，中心となる楽器はシタールとリュートである。

B　カンツォーネはポルトガルの民謡で哀切な曲調が特徴。バンジョーの伴奏で歌われる。

C　フラメンコはスペインの舞踊。ギターの伴奏に合わせて，踊り手はカスタネットを鳴らしながら足を力強く踏み鳴らす。

D　タンゴはアルゼンチンの舞踊音楽。音楽に合わせて情熱的に踊る。演奏の中心となるのはバンドネオンという楽器である。

E　マズルカはスコットランドの舞踊で伴奏にはバグパイプを用いる。活発なリズムが特徴。

1　A，B

2　A，D

3　B，E

4　C，D

5　C，E

解答欄

解　説　63

A ×　**ガムランはインドネシアのバリ島やジャワ島**で演奏される器楽合奏で，演奏の中心は**木琴**や**ゴング**などである。**シタールは北インド**で使われる**撥弦楽器**(弦を指などで弾いて演奏する楽器)，**リュート**は16〜17世紀にヨーロッパで用いられた撥弦楽器である。

B ×　**カンツォーネはイタリアの民謡**で，哀切な曲調が特徴の**ポルトガルの民謡はファド**。バンジョーはギターのような楽器で，アメリカなどで用いられる。

C ○　**記述のとおりである。**

D ○　**バンドネオンはアコーディオンに似た楽器**である。

E ×　**マズルカはポーランドの舞踊**で，活発なリズムが特徴である。**バグパイプ**は管楽器の一種で**スコットランド**のものが有名である。

解答　4

政治 経済 社会情報 日本史 世界史 地理 文学芸術 国語 数学 物理 化学 生物 地学 英語 現代文古文 資料解釈 判断推理空間把握 数的推理

フォローアップ

文学・芸術

以下の空欄にあてはまる語句・人名を書きなさい。

□日本の文学

1　（　　）は現存する日本最古の歌集である。

2　紀貫之が女性に仮託し仮名で書いた（　　）は，日記文学の先駆けとして後の文学に大きな影響を与えた。

3　（　　）は藤原道綱母による日記文学である。

4　清少納言の（　　）は日本初の随筆といわれる。

5　（　　）は鴨長明による随筆である。

6　（　　）は源実朝の歌集である。

7　（　　）は「さび」「しをり」「軽み」を特徴とする蕉風俳諧を確立した。

8　読本作家の上田秋成は怪異小説の傑作（　　）を書いた。

9　（　　）は言文一致体による小説『浮雲』を書き，近代文学に大きな影響を与えた。

10　『たけくらべ』は女流作家（　　）の作品である。

11　田山花袋は（　　）主義を代表する作家である。

12　『舞姫』，『雁』を書いた（　　）は軍医でもあった。

13　『坊っちゃん』，『門』は（　　）の代表作である。

14　（　　）は短歌・俳句の革新に努め，「写生」を唱えた。

○ 正 解 ○

1　万葉集

2　土佐日記

3　蜻蛉日記

4　枕草子

5　方丈記

6　金槐和歌集

7　松尾芭蕉

8　雨月物語

9　二葉亭四迷

10　樋口一葉

11　自然

12　森鷗外

13　夏目漱石

14　正岡子規

106

□海外の文学

1　『神曲』はイタリア・ルネサンスを代表する詩人（　　）の作品である。

2　『ドン・キホーテ』はスペイン・ルネサンスを代表する作家（　　）の作品である。

3　『ハムレット』・『オセロ』・『マクベス』・『リア王』は（　　）の四大悲劇といわれる。

4　スタンダールの（　　）は野心家の青年を主人公とする作品である。

5　『居酒屋』は自然主義の作家（　　）の代表作である。

6　ドストエフスキーの（　　）は貧しい青年が金貸しの老婆を殺害する話である。

7　『戦争と平和』は（　　）の代表作である。

8　チェーホフの（　　）は没落していく貴族の姿を描いた作品である。

9　イプセンの（　　）は，幸福そうな家庭生活を営んでいた女性が，自立に目覚めて家を出る話である。

10　カフカの（　　）はある朝目覚めると巨大な毒虫になっていた男の話である。

11　『人間の絆』は（　　）の作品である。

12　マーク・トウェインはミシシッピ川流域の自然豊かな町を舞台に（　　）を書いた。

○ 正 解 ○

1　ダンテ

2　セルバンテス

3　シェークスピア

4　赤と黒

5　ゾラ

6　罪と罰

7　トルストイ

8　桜の園

9　人形の家

10　変身

11　モーム

12　トム・ソーヤーの冒険

□芸術

1	ミケランジェロはシスティナ礼拝堂に天井画『天地創造』や壁画（　　）を描いた。	1	**最後の審判**
2	『夜警』を描いた（　　）は明暗を強調した画風が特徴である。	2	レンブラント
3	『ラス・メニーナス』は（　　）の代表作である。	3	ベラスケス
4	（　　）は『民衆を導く自由の女神』を描いた。	4	ドラクロワ
5	『オランピア』『草上の昼食』は（　　）の代表作である。	5	マネ
6	印象派の呼称は（　　）の『印象・日の出』に由来する。	6	モネ
7	（　　）はバレエの『踊子』を描いた作品で知られる。	7	ドガ
8	（　　）は点描という技法を用い，『グランド・ジャット島の日曜日の午後』などの作品を描いた。	8	スーラ
9	（　　）は『ひまわり』，『糸杉』などの作品を残した。	9	ゴッホ
10	『サント・ビクトワール山』は近代絵画の父と呼ばれた（　　）の作品である。	10	セザンヌ
11	ピカソやブラックは（　　）と呼ばれる芸術運動を創始した。	11	キュビスム（立体派）
12	マティスやルオーは（　　）と呼ばれる芸術運動を創始した。	12	フォービスム（野獣派）

○ 正 解 ○

国語

◆知識分野

四字熟語の意味（1）

重要度

次のうち，四字熟語の意味として正しいもののみをすべて挙げているのはどれか。

A　天地無用…上下を逆さまにしてもかまわないこと。

B　晴耕雨読…雑事に追われてせわしない日々を過ごすこと。

C　玉石混淆…未熟な人間であっても優れた人物とつきあうことで成長し，立派な人間になれること。

D　手練手管…目標を達成するために精いっぱい努力すること。

E　岡目八目…当事者よりも第三者のほうが客観的に判断できるということ。

F　先憂後楽…人の上に立つ者は，常に人より先に将来のことを心配し，楽しむのは人より後にすべきだということ。

1　A，C

2　A，E

3　B，D

4　D，F

5　E，F

解答欄

解 説 64

A ×　「天地無用」は**上下を逆さまにしてはならない**ということ。荷物などに書き添えたりする。

B ×　「晴耕雨読」は**晴れた日は田畑を耕し，雨の日は家で書を読む**という意味で，**悠々自適の生活**のことを指す。

C ×　「玉石混淆」は**良いものと悪いものが混ざっている**こと。「**ぎょくせきこんこう**」と読む。「**玉石混合**」ではないので注意。

D ×　「手練手管」は**人をだまして思いのままに動かす技巧**のこと。「**てれんてくだ**」と読む。

E ○　「**おかめはちもく**」と読む。「**傍目八目**」とも書く。

F ○　「**せんゆうこうらく**」と読む。

解答　5

政治

経済

社会
情報

日本史

世界史

地理

文学
芸術

国語

数学

物理

化学

生物

地学

英語

現代文
古文

資料
解釈

判断推理
空間把握

数的
推理

国 語

No. **65**　　　　　四字熟語の意味（2）　　　　 重要度

次のうち，意味が近い四字熟語の組合せとして最も妥当なのはどれか。

1　四面楚歌 ——— 堅忍不抜
2　一気呵成 ——— 一知半解
3　臥薪嘗胆 ——— 虎視眈眈
4　空前絶後 ——— 前代未聞
5　朝三暮四 ——— 日進月歩

解答欄　　　　　　　

解 説　65

1×　「四面楚歌」は周りを敵に囲まれて味方がいないことを指す。「堅忍不抜」
はどんな困難にも耐え忍び，心を変えないことである。
2×　「一気呵成」は**一息に完成させる**こと。「一知半解」は**中途半端にしか理
解できていない**こと。
3×　「臥薪嘗胆」は**目的を果たすために苦労し努力する**こと。復讐の心を忘れ
ないために，堅い薪の上で眠り，苦い胆をなめたという故事にちなんだ言葉
である。「虎視眈眈」は**じっと機会を窺う様子**を示した言葉。
4○　「空前絶後」と「前代未聞」はどちらも，**非常に珍しいこと**を意味する言
葉である。
5×　「朝三暮四」は**実際は同じであるのに表面的な違いにとらわれて気付かな
いこと**，**巧みな言葉で人をだます**こと。「日進月歩」は**絶え間なく進歩する**こと。

解答　　4

➕プラス知識
　意味が近い四字熟語の組合せ
　　意味が近い四字熟語としては上の問題に挙げられている以外に，「**徹頭徹尾**」
「**終始一貫**」（初めから終わりまでという意味），「**孤立無援**」「**四面楚歌**」（誰も
味方がいないこと），「**山紫水明**」「**風光明媚**」（山や川などの風景が美しいこと），
「**一石二鳥**」「**一挙両得**」（1つの手間で2つの利益をあげること）などがある。

敬 語

敬語には尊敬語，謙譲語，丁寧語の３種類がある。以下の文章はＸ氏とＹ氏が交わした手紙の一部であるが，下線部Ａ～Ｆの敬語の使い方で妥当なもののみをすべて挙げているものはどれか。

（Ｘ氏からＹ氏への手紙）

秋も深まってＡまいりましたが，いかがお過ごしでしょうか。さて，私の所属している市民劇団が来月，公演を行うことになりました。私も出演Ｂなさいます。公演案内のパンフレットを同封しますので，どうぞＣ拝見してください。

（Ｙ氏からＸ氏への返事）

パンフレットお送りいただき，ありがとうございました。とても面白そうなお芝居ですね。両親も誘ったところ，２人とも「ぜひ行きたい」とＤおっしゃっております。当日は私と両親の３人でＥ伺いたいと思います。

ところで，今年も我が家の柿の木がたくさん実をつけました。いくつかお送りしますので，皆さんでＦいただいてください。

1 A，B，E **2** A，E **3** B，C，E
4 B，D，F **5** C，F

解答欄

解 説 66

Ａ○ 「まいる」は「行く」「来る」の謙譲語・丁寧語である。

Ｂ× 「なさる」は「する」の尊敬語であるから，**自分に対して用いるのは誤り**である。

Ｃ× 「拝見する」は「見る」の謙譲語であるから，**相手に対して用いるのは妥当ではない**。「**ご覧ください**」などとするのが適当である。

Ｄ× 「おっしゃる」は「言う」の尊敬語である。**両親は身内であるから**，この場合は「おっしゃる」を**用いるのは誤り**。両親や上司など目上の者であっても，外部の人に話す場合には謙譲語を使う。

Ｅ○ 「伺う」は「**訪れる**」「**尋ねる**」などの謙譲語である。

Ｆ× 「いただく」は「**飲む**」「**食べる**」の謙譲語であるから，**相手に対して用いるのは妥当ではない**。「**召し上がってください**」などとする。

解答 2

国語

No. 67　　　　　　　　　　　**対義語**　　　　　　　　Ⓒ 重要度

政治 / 経済 / 社会情報 / 日本史 / 世界史 / 地理 / 文学芸術 / 国語 / 数学 / 物理 / 化学 / 生物 / 地学 / 英語 / 現代文古文 / 資料解釈 / 判断推理 / 数的推理

　次の A 〜 E のうち，対義語（反対の意味をもつ語）の組合せとして，いずれも妥当なもののみを挙げているのはどれか。

　　A　遺失 ― 拾得，寛容 ― 厳格
　　B　寡黙 ― 多弁，親密 ― 冷淡
　　C　強硬 ― 弛緩，過失 ― 故意
　　D　優雅 ― 粗野，安堵 ― 危険
　　E　柔弱 ― 剛健，繁栄 ― 衰微

1　A，C
2　A，E
3　B，C
4　B，D
5　D，E

解答欄 □□□□□

解 説　67

A○　遺失 ― 拾得は**対義語である**。「遺失」は落としたりしてなくすこと，「拾得」は拾うことである。寛容 ― 厳格も**対義語**で，「寛容」は心が広いこと，「厳格」は厳しくて，不正や怠慢などを許さないこと。

B×　寡黙 ― 多弁は**対義語である**。「寡黙」は口数が少ないことで，「多弁」は口数が多く，饒舌なこと。親密 ― 冷淡は**対義語ではない**。「親密」は深い交際をしていることで，対義語は「**疎遠**」。「冷淡」は同情を示さず，思いやりがないことで，対義語は「**親切**」。

C×　強硬 ― 弛緩は**対義語ではない**。「強硬」は意志や主張を曲げないことで，対義語は「**軟弱**」。「弛緩」は緩むことで対義語は「**緊張**」。過失 ― 故意は**対義語である**。「過失」は不注意による失敗，「故意」はわざとすること。

D×　優雅 ― 粗野は**対義語である**。「優雅」は気品があり美しいこと，「粗野」は品がなく洗練されていないこと。安堵 ― 危険は**対義語ではない**。「安堵」は安心することで対義語は「**懸念**」，「危険」は危ないことで対義語は「**安全**」。

E○　柔弱 ― 剛健は**対義語**。「柔弱」は精神や体が弱々しいこと，「剛健」は強くたくましいこと。繁栄 ― 衰微も**対義語**。「繁栄」は栄えること，「衰微」は衰えることである。

解答　**2**

漢字の部首

重要度 C

下線部のカタカナを漢字に直した場合に，その漢字の部首名として正しいものはどれか。

1 安全のため<u>ジョ</u>コウ運転をする。―――― こざとへん

2 財政改革の分野で<u>ジッセキ</u>をあげる。―― のぎへん

3 友人の無事を<u>イノ</u>る。―――――――― しめすへん

4 パーティーに<u>ショウ</u>タイする。――――― いとへん

5 豪雨のため<u>シンスイ</u>の被害が発生した。― にんべん

解答欄 [   ]

解 説 68

1 × 「ジョコウ」の表記は「**徐行**」であるから部首は「**ぎょうにんべん**」である。「**こざとへん**」の「**除**」ではないので要注意。

2 × 「ジッセキ」は「**実績**」と書く。部首は「**いとへん**」。「**のぎへん**」の「**積**」と間違えないようにする。

3 ○ 「イノる」は「**祈る**」と表記し，部首は「**しめすへん**」である。

4 × 「ショウタイ」は「**招待**」と書く。部首は「**てへん**」である。「**いとへん**」の「**紹**」と混同しないように気をつけたい。

5 × 「シンスイ」の表記は「**浸水**」。部首は「**さんずい**」である。「**にんべん**」の「**侵**」と間違えやすいので注意が必要である。

解答 **3**

➕プラス知識

漢字の部首の例

偏（へん）……… 漢字の左側の部分。にんべん，いとへん，りっしんべんなど。

旁（つくり）…… 漢字の右側の部分。おおざと，おおがい，りっとうなど。

冠（かんむり）… 漢字の上の部分。うかんむり，なべぶた，あなかんむりなど。

脚（あし）……… 漢字の下の部分。さら，したごころ，したみずなど。

国語

No. **69** 四字熟語の漢字 重要度

次の四字熟語のうちで，漢字の使い方が正しいもののみを挙げているのはどれか。

　A　猛母三遷
　B　臨気応変
　C　五里霧中
　D　紛骨砕心
　E　疑信暗鬼
　F　付和雷同

1　A，E
2　B，D
3　B，F
4　C，F
5　D，E

解答欄

解 説 69

A×　**「孟母三遷」が正しい**。子どもの教育には環境が大きく影響するということのたとえ。

B×　**「臨機応変」が正しい**。意味は，状況に応じて適切な対応をすること。

C○　ものごとの様子がわからず，どうしてよいかわからないことを指す。「**五里夢中**」と書き誤りやすいので注意したい。

D×　**「粉骨砕身」が正しい**。力を尽くして取り組むという意味である。

E×　**「疑心暗鬼」が正しい**。疑いの心を持つと，なんでもないことでも疑ったり恐ろしくなったりすることを表す。

F○　自分の主張がなく，安易に他人の説に同調することを示す。「**不和雷同**」と書くのは誤りである。

解答　4

次のうち，下線部の言葉の使い方がいずれも正しいもののみを挙げているのはどれか。

A 枯れ木も山のにぎわいですので，ぜひいらしてください。
  友人の家を探して見知らぬ町を足が地に着かないほど歩き回った。

B 気が置けない友人と楽しい時間を過ごす。
  彼と私は性格も趣味もちがうが，不思議と馬が合う。

C 木で鼻をくくったように丁寧に答える。
  口が酸っぱくなるほど話がはずんだ。

D 彼の能力は折り紙付きなので，安心して仕事をまかせられない。
  年寄りの冷や水というから，年長者の言うことは尊重しなければならない。

E あまりの苦痛に七転び八起きした。
  長い時間をかけて議論したものの，煮詰まってしまって話がまとまらない。

F 子どものことが気がかりで，後ろ髪を引かれる思いで家を出た。
  お世話になった社長に恩返しするため，身を粉にして働いた。

1 A，B
2 A，F
3 B，F
4 C，D
5 D，E

解答欄

➕プラス知識

誤りやすいことわざ・慣用句
　意味や用例を誤りやすいことわざや慣用句には次のようなものもある。
・情けは人の為ならず …… 他人に親切にすると，やがては自分にもよい報いがくるということ。親切にするのは相手のためにならない，という意味ではない。
・袖振り合うも多生の縁 … ささいなことでも，前世からの深い縁によるものだということ。「多生の縁」は前世からの縁。「多少の縁」ではない。

解 説 70

A× 「枯れ木も山のにぎわい」はつまらないものでもないよりはまし，という意味なので，**相手を招く際の言葉としては不適当**である。「足が地に着かない」は，興奮したり緊張したりして動揺している様子，気持ちや行いなどがふらついていて定まっていない様子を示す。

B○ **どちらも正しい**。「気が置けない」は遠慮や気遣いの不要な間柄を示す言葉である。気がねをしなければならない関係や，信用できない関係を指す言葉と認識されることが多いので注意したい。「馬が合う」は気が合うこと。

C× 「木で鼻をくくる」とは無愛想に対応することのたとえである。「丁寧に答える」とは**相容れない表現**である。「口が酸っぱくなる」は，同じことを何回も言うこと。「『時間を守りなさい』と口が酸っぱくなるほど言っているのに，また遅刻した」などのように使う。

D× 「折り紙付き」は資質などが間違いないと評価されていることであり，**良い意味で使われる**。悪い意味で評判がある場合は「**札付き**」を用いる。「年寄りの冷や水」は，年寄りが年齢に合わない危ない行動や出過ぎた行いをすること。

E× 「七転び八起き」は何度失敗してもくじけずに奮起することで，「七転八起」とも表現する。苦痛にのたうちまわる様を表現するのは「七転八倒」である。「煮詰まる」は十分に議論されて結論がみえてくること。「行き詰まる」の意味で用いられることがあるが，本来の意味ではない。

F○ **どちらも正しい**。「後ろ髪を引かれる」は心残りがする様子，「身を粉にする」は懸命に働く様子を指す。

解答 3

・**流れに棹さす** ……… 物事が順調に進むこと，時流に乗ること。「時流に逆らう」という意味で用いるのは誤り。

ことわざの意味

次のうちで，意味が近い言葉の組合せとして最も妥当なのはどれか。

1 帯に短したすきに長し ――――― 五十歩百歩

2 ミイラ取りがミイラになる ―― 悪事千里を走る

3 濡れ手で粟 ――――――――― 二階から目薬

4 転ばぬ先の杖 ――――――― 紺屋の白袴

5 河童の川流れ ――――――――― 猿も木から落ちる

解答欄

解 説 **71**

1× 「帯に短したすきに長し」は**中途半端で役立たない**というたとえ。「五十歩百歩」はどちらも似たりよったりで**大きな違いがない**という意味である。

2× 「ミイラ取りがミイラになる」は，**人を連れ戻しに行った人が自分もそこにとどまってしまって戻らないこと**，また，**相手を説得しようとした人が逆に説得されて相手と同じ意見になってしまうこと**を指す。「悪事千里を走る」は**悪い行いや悪い評判はすぐに世の中に伝わってしまう**ということ。反対に，良い行いはなかなか知られないということを指して「**好事門を出でず**」という。

3× 「濡れ手で粟」は**苦労をせずに利益を得ること**。「濡れ手で泡」ではないので気をつけたい。「二階から目薬」は**まわりくどくて効果がないこと，もどかしいこと**のたとえである。

4× 「転ばぬ先の杖」は，**事前に用心しておけば失敗しない**という意味。「紺屋の白袴」は，**他人の世話ばかりして自分のことには手がまわらないこと**，また，**専門家でも自分のことになると実行できないこと**を指す。

5○ 「河童の川流れ」「猿も木から落ちる」はどちらも，**名人でも失敗することがある**という意味である。

解答　5

国語

No.72 漢字の用法 重要度

政治
経済
社会情報
日本史
世界史
地理
文学芸術
国語
数学
物理
化学
生物
地学
英語
現代文古文
資料解釈
判断推理空間把握
数的推理

次の文章で，下線を付した部分の漢字の使い方が妥当なのはどれか。

1 上司の変わりに会議に出席する。

2 堤防が決懐して多数の被害が出た。

3 いちごの路地栽培に取り組む。

4 昔からの習慣を墨守する。

5 税金を修める。

解答欄

解説 72

1× 「**変わり**」ではなく「**代わり**」が正しい。状態などの変化を表すときには「**変わり**」，人やものの代理や交代を表すときには「**代わり**」を用いる。

2× 「**懐**」ではなく「**壊**」が正しい。「**決壊**」はダムや堤防などが崩れることを意味する。

3× 「**路地**」ではなく「**露地**」が正しい。「**路地**」はせまい通路という意味。「**露地**」は屋根などでおおわれていない土地を意味する。

4○ 「**墨守**」とは，従来からのやり方を守ることである。

5× 「**修**」ではなく「**納**」が正しい。「**おさめる**」には「**修める**」「**納める**」「**治める**」「**収める**」があるので，それぞれ使い分けられるようにしておく。主に，学問などを身につけたりする場合は「**修める**」，税金など渡すべきお金や品物などを渡す場合は「**納める**」，国などを支配したり管理したりする場合は「**治める**」，勝利や成功などを自分のものにする場合，また，ものをしまう場合は「**収める**」を用いる。

解答 4

次のうち，下線を付した部分の漢字の使い方がいずれも妥当なものの組合せはどれか。

1 市長の発言に<u>抗義</u>する。——————— 著名な学者の<u>講議</u>をきく。

2 責任を<u>転嫁</u>する。——————— 食塩を<u>添加</u>する。

3 季節の花を<u>観照</u>する。——————— 名画を<u>鑑賞</u>する。

4 発達を<u>粗害</u>する。——————— よそ者として<u>阻外</u>される。

5 ボランティア活動を<u>交援</u>する。——— 人気ピアニストの<u>公演</u>が中止される。

解答欄

解 説 73

1 × 「抗義」ではなく「抗議」。「講議」ではなく「講義」が正しい。
2 ○ 「転嫁」「添加」のいずれも正しい。「転嫁」の「嫁」は「下」「過」などと誤りやすいので注意する。
3 × 「観照」ではなく「観賞」。「観照」は物事を観察して本質を知ることであり，植物などを眺めて楽しむのは「観賞」である。「鑑賞」は正しい。
4 × 「粗害」は「阻害」，「阻外」は「疎外」が正しい。「阻害」は妨げたり，邪魔をしたりすること，「疎外」はのけものにすることである。
5 × 「交援」ではなく「後援」。「公演」は正しい。

解答　2

＋プラス知識
同音異義語の例
〔転嫁・添加〕，〔観賞・鑑賞・観照〕，〔公演・後援・講演〕，〔解答・回答〕，〔移動・異動・異同〕，〔以外・意外〕，〔体勢・態勢・体制〕，〔解放・開放〕，〔試行・施行・思考・志向〕，〔対象・対称・対照〕，〔意義・異議・異義〕，〔追究・追及・追求〕，〔反映・繁栄〕，〔懐古・回顧・解雇〕，〔保証・補償・保障〕

フォローアップ

国　語

□四字熟語　空欄にあてはまる漢字を書きなさい。

〇 正　解 〇

1　危機（　　）とは，あと少しのところで非常に危険な事態に陥る瀬戸際（せ と ぎわ）のことで「ききいっぱつ」と読む。

1　一髪

2　意味（　　）とは，言外（げんがい）に深い意味が込められていることで，「いみしんちょう」と読む。

2　深長

3　竜頭（　　）とは，最初は勢いがよいのに，最後が振るわないことで，「りゅうとうだび」と読む。

3　蛇尾

4　韋編（　　）とは，書物を何度も繰り返し読むことで，「いへんさんぜつ」と読む。

4　三絶

5　粉骨（　　）とは，力を尽くして努力することで，「ふんこつさいしん」と読む。

5　砕身

6　（　　）同音とは，複数の人が同じ意見を言うことで，「いくどうおん」と読む。

6　異口

7　（　　）伝心とは，言葉に出さなくても気持ちが通じ合うことで，「いしんでんしん」と読む。

7　以心

8　（　　）暗鬼とは，一度疑い始めると何も信じられなくなるということで，「ぎしんあんき」と読む。

8　疑心

9　自（　　）自（　　）とは，自分のことを自分でほめることで，「じがじさん」と読む。

9　画　賛

10　画竜（　　）とは，最後の大事な仕上げのことで，「がりょうてんせい」と読む。

10　点睛

11　時期（　　）とは，何かを行うにあたって時期が早すぎることで，「じきしょうそう」と読む。

11　尚早

政治
経済
社会情報
日本史
世界史
地理
文学芸術
国語
数学
物理
化学
生物
地学
英語
現代文古文
資料解釈
判断推理空間把握
数的推理

□ことわざ・慣用句　空欄にあてはまる語句を書きなさい。

1　「のれんに（　　）押し」とは，効き目や手ごたえがないことである。

2　「ひょうたんから（　　）」とは，冗談で言ったことが思いがけず実現することである。

3　「（　　）からぼたもち」とは，思いがけない幸運に出会うことである。

4　「（　　）に塩」とは，元気がなくしょんぼりしていることである。

5　「（　　）も木から落ちる」とは，名人でも失敗することがあるということのたとえである。

6　「（　　）の友」とは，幼なじみのことである。

7　「（　　）の交わり」とは，切っても切り離せない親密な関係のたとえである。

8　「李下に（　　）を正さず」とは，誤解を招くような行動は慎むべきだということである。

9　「嚢中の（　　）」とは，優れた人は隠していても自然とその才能が外にあらわれるということである。

10　「羹に懲りて膾を（　　）」とは，一度失敗したのに懲りて必要以上の用心をすることである。

11　「塞翁が（　　）」とは，何が幸福につながり何が不幸につながるかは人間には予測できないということである。

	正解
1	腕
2	駒
3	棚
4	青菜
5	猿
6	竹馬（ちくば）
7	水魚
8	冠
9	錐（きり）
10	吹く
11	馬

□漢字の書き方　下線部のカタカナを漢字に直しなさい。

		○ 正 解 ○

1　<u>イッカン</u>して反対の立場をとる。　　1　一貫

2　アンケートに<u>カイトウ</u>する。　　2　回答

3　彼は先月，企画部に<u>イドウ</u>した。　　3　異動

4　悪い友人に影響され<u>ダラク</u>した生活を送る。　　4　堕落

5　依頼を<u>エンキョク</u>に断る。　　5　婉曲

6　これは様々な<u>ヘイガイ</u>を伴う制度だ。　　6　弊害

7　職務<u>タイマン</u>で注意を受ける。　　7　怠慢

8　旅費を<u>セイサン</u>する。　　8　精算

9　計画を<u>カンスイ</u>する。　　9　完遂

10　<u>フシン</u>な人物を目撃する。　　10　不審

11　大臣を<u>コウテツ</u>する。　　11　更迭

12　植物を<u>サイバイ</u>する。　　12　栽培

13　荒れ地を<u>カイコン</u>する。　　13　開墾

14　決定に<u>イギ</u>を唱える。　　14　異議

15　<u>ゼンゴ</u>策を講じる。　　15　善後

16　社会<u>ホショウ</u>政策を充実させる。　　16　保障

17　<u>アクビ</u>が出るほどたいくつな話だ。　　17　欠伸

政治 経済 社会情報 日本史 世界史 地理 文学芸術 国語 数学 物理 化学 生物 地学 英語 現代文古文 資料解釈 判断推理空間把握 数的推理

□対義語　下線部の言葉の対義語となるよう，空欄に適当な漢字を書きなさい。

1	<u>絶対</u>的な評価 ―（　　）対	1　相
2	<u>義務</u>を果たす ― 権（　　）	2　利
3	<u>原因</u>を調査する ― 結（　　）	3　果
4	成長を<u>促進</u>する ― 抑（　　）	4　制
5	<u>必然</u>の結果 ―（　　）然	5　偶
6	<u>抽象</u>的な表現 ― 具（　　）	6　体（または象）
7	独自の<u>理論</u>を確立する ―（　　）践	7　実
8	大量に<u>消費</u>する ―（　　）産	8　生
9	規則に<u>違反</u>する ― 遵（　　）	9　守
10	両親に<u>依存</u>する ― 自（　　）	10　立
11	<u>曖昧</u>（あいまい）な答え ―（　　）瞭	11　明
12	新たな美を<u>創造</u>する ―（　　）倣	12　模
13	<u>保守</u>的な意見 ―（　　）新	13　革
14	<u>軽率</u>なふるまい ―（　　）重	14　慎
15	<u>勤勉</u>な態度 ―（　　）惰	15　怠
16	<u>偉大</u>な人物 ― 凡（　　）	16　庸
17	エレベーターが<u>下降</u>する ―（　　）昇	17　上

数学

式の値

$x = \sqrt{6} + \sqrt{5}$, $y = \sqrt{6} - \sqrt{5}$ のとき，$x^2 + y^2$ の値を求めよ。

1 $2\sqrt{5}$

2 $2\sqrt{6}$

3 $4\sqrt{30}$

4 22

5 122

解答欄

解説 74

まず，$x + y = (\sqrt{6} + \sqrt{5}) + (\sqrt{6} - \sqrt{5}) = 2\sqrt{6}$，
$xy = (\sqrt{6} + \sqrt{5})(\sqrt{6} - \sqrt{5}) = 6 - 5 = 1$ であるから，
公式 $x^2 + y^2 = (x + y)^2 - 2xy$ に代入して，
$x^2 + y^2 = (2\sqrt{6})^2 - 2 \cdot 1 = 24 - 2 = 22$ となる。

解答 4

➕プラス知識

対称式

　文字を入れ換えても変わらない式を対称式といい，全ての対称式は基本対称式で表すことが出来る。2文字の対称式において基本対称式は和と積，つまり x＋y と x y である。また有名な変形公式として
$$x^2 + y^2 = (x + y)^2 - 2xy$$
$$x^3 + y^3 = (x + y)^3 - 3xy\,(x + y)$$
　がある。

▲知識分野

数　学

No. 75　　　　　　　　　　　　実　数　　　　　　　　　C 重要度

次の式のうち，その解 x が有理数であるものはどれか。

1　$3x + 1 = \sqrt{2} + 3$

2　$3x = \sqrt{5} - x$

3　$3\sqrt{2}x = \sqrt{8}$

4　$x^2 - 2\sqrt{2}x + 2 = 0$

5　$x + 2\sqrt{3} = 2(x + 2\sqrt{3})$

解答欄

解　説　75

有理数とは $\dfrac{\text{整数}}{\text{自然数}}$ の形に直せる数であり，$\sqrt{}$ の中を簡単にしても $\sqrt{}$ が残れば無理数である。

1 の解は $\dfrac{\sqrt{2} + 2}{3}$ で**無理数**

2 の解は $\dfrac{\sqrt{5}}{4}$ で**無理数**

3 の解は $\dfrac{2}{3}$ で**有理数**

4 の解は $\sqrt{2}$（重解）で**無理数**

5 の解は $-2\sqrt{3}$ で**無理数**

解答　　3

政治

経済

社会情報

日本史

世界史

地理

文学芸術

国語

数学

物理

化学

生物

地学

英語

現代文古文

資料解釈

論理空間把握

数的推理

数直線

次の A，B，C の値の大小関係として，正しいものはどれか。

$$A = \sqrt{(-4)^2}$$

$$B = 2 + \sqrt{3}$$

$$C = \frac{1}{\sqrt{5} - 2}$$

1 A ＜ B ＜ C
2 A ＜ C ＜ B
3 B ＜ A ＜ C
4 B ＜ C ＜ A
5 C ＜ A ＜ B

解答欄

解 説 76

まず，それぞれの値を簡単にすると，

$A = \sqrt{(-4)^2} = \sqrt{16} = $ **4** であり，

$B = 2 + \sqrt{3} = 2 + 1.732\cdots = $ **3.732** $\cdots$であり，

$C = \dfrac{1}{\sqrt{5} - 2} = \dfrac{\sqrt{5} + 2}{(\sqrt{5} - 2)(\sqrt{5} + 2)} = \dfrac{\sqrt{5} + 2}{5 - 4} = \sqrt{5} + 2 = $ **2.236** $\cdots +$ **2**

$= $ **4.236** $\cdots$である。

よって大小関係は **B ＜ A ＜ C** である。

解答　3

➕プラス知識

平方根の近似値
$\sqrt{2} = 1.41421356\cdots$　　　　$\sqrt{3} = 1.7320508\cdots$
　　（一夜一夜に人見ごろ）　　　　（人並みにおごれや）
$\sqrt{5} = 2.2360679\cdots$　　　　$\sqrt{7} = 2.64575\cdots$
　　（富士山麓オーム鳴く）　（菜に虫いない）
などが有名である。

政治
経済
社会情報
日本史
世界史
地理
文学芸術
国語
数学
物理
化学
生物
地学
英語
現代文古文
資料解釈
判断推理
数的推理

数 学

No.**77**　　　　　　　　　**整数方程式の応用**　　　C 重要度

何人かの子供達にりんごを配ろうとして 91 個のりんごを用意した。しかし，集まった子供の人数が最初に予定していたよりも複数人多かったので，配る個数を 1 人につき 1 個減らしたが，それでも更に 5 個のりんごが必要だった。このとき増えた子供の人数はいくらか。

1　2 人
2　3 人
3　4 人
4　5 人
5　6 人

解答欄

解 説 **77**

　まず，最初に予定していた人数を n 人，配る個数を k 個とすると，$nk = 91$ …①が成り立つ。増えた子供の人数を x 人とすると，実際には子供の人数は x 人多く，配った個数も 1 個減らしたが，それでも更に 5 個（計 96 個）のりんごが必要だったことから，$(n + x)(k - 1) = 96$……②が成り立つ。ここで，①より 91 を素因数分解すると $91 = 7 \cdot 13$ であることと題意から

$\begin{cases} n = 7 \\ k = 13 \end{cases}$ か，$\begin{cases} n = 13 \\ k = 7 \end{cases}$ のいずれかであるが，$\begin{cases} n = 7 \\ k = 13 \end{cases}$ の方を②に代入すると

$x = 1$ となり，**増えた人数が複数であることに反する**。

$\begin{cases} n = 13 \\ k = 7 \end{cases}$ の方を②に代入すると $x = 3$ となる。

解答　　**2**

２次方程式

２次方程式 $6x^2 - 17x + 12 = 0$ の２つの解を α，β とするとき，$\dfrac{1}{\alpha} + \dfrac{1}{\beta}$ の値はいくらか。

1 6

2 17

3 12

4 $\dfrac{17}{6}$

5 $\dfrac{17}{12}$

解答欄

解 説 78

与式を因数分解すると，

$6x^2 - 17x + 12 = (2x - 3)(3x - 4) = 0$ より $x = \dfrac{3}{2}$，$\dfrac{4}{3}$ となる。

一方が α で，他方が β であるから，$\dfrac{1}{\alpha} + \dfrac{1}{\beta} = \dfrac{2}{3} + \dfrac{3}{4} = \dfrac{17}{12}$ となる。

解答　5

➕プラス知識

２次方程式の解と係数の関係
$ax^2 + bx + c = 0$ $(a \neq 0)$ の２解を α，β とすると
$\alpha + \beta = -\dfrac{b}{a}$ ，$\alpha\beta = \dfrac{c}{a}$　が成立する。

別解
解と係数の関係より $\alpha + \beta = -\dfrac{-17}{6} = \dfrac{17}{6}$ ，$\alpha\beta = \dfrac{12}{6} = 2$ であるから，

$\dfrac{1}{\alpha} + \dfrac{1}{\beta} = \dfrac{\beta}{\alpha\beta} + \dfrac{\alpha}{\alpha\beta} = \dfrac{\beta + \alpha}{\alpha\beta} = \dfrac{17}{6} \div 2 = \dfrac{17}{12}$ となる。

数 学
No.79　　　2次方程式の応用　　

政治
経済
社会情報
日本史
世界史
地理
文学芸術
国語
数学
物理
化学
生物
地学
英語
現代文古文
資料解釈
判断推理空間把握
数的推理

　対角線の長さが 10cm の長方形の面積が 40cm² であった。このとき，この長方形の周囲の長さはいくらか。

1　$12\sqrt{5}$cm

2　$6\sqrt{5}$cm

3　$18\sqrt{2}$cm

4　30cm

5　15cm

解答欄

解 説 79

　長方形の縦の長さを $x$cm とすると，対角線の長さが 10cm より，横の長さは $\sqrt{10^2 - x^2} = \sqrt{100 - x^2}$ と表せる。このとき，面積が 40cm² であるから，$x \cdot \sqrt{100 - x^2} = 40$ となり，両辺とも正だから平方し整理すると $x^4 - 100x^2 + 1600 = 0$ となる。

　これを解いて $(x^2 - 20)(x^2 - 80) = 0$ から $x^2 = 20, 80$ であり，縦 $x = 2\sqrt{5}$，$4\sqrt{5}$，それぞれに対し横 $\sqrt{100 - x^2} = 4\sqrt{5}$，$2\sqrt{5}$ となる。

　よって周囲の長さは $2(2\sqrt{5} + 4\sqrt{5}) = 12\sqrt{5}$cm である。

解答　　1

➕プラス知識
別解
　長方形の縦の長さを $x$cm，横の長さを $y$cm とする。対角線の長さが 10cm であるから $x^2 + y^2 = 10^2$……①，
面積が 40cm² であるから $xy = 40$……②となる。
　このとき求めるのは長方形の周囲の長さ，つまり $2(x+y)$ の値である。ここで，$(x+y)^2 = x^2 + y^2 + 2xy$ であるから，①，②より
　$x + y = \sqrt{x^2 + y^2 + 2xy} = \sqrt{10^2 + 2 \times 40} = \sqrt{180} = 6\sqrt{5}$ が求まり，
　$2(x+y) = 2 \times 6\sqrt{5} = 12\sqrt{5}$ となる。

2 次関数の最大最小

重要度 B

a を定数とする 2 次関数 $f(x) = x^2 - 4x + a$ の定義域が $-1 \leqq x \leqq 4$ のとき, 最小値は 3 であるという。$f(x)$ の最大値を求めよ。

1 9

2 10

3 11

4 12

5 13

解答欄

解 説 80

$f(x) = x^2 - 4x + a = (x - 2)^2 - 4 + a$ より, 軸は $x = 2$ である。

軸が定義域に入っているから, 最小値をとるのは頂点であり, 最小値は 3 であるから $-4 + a = 3$, つまり $a = 7$ となる。

このとき最大値をとるのは, 定義域の端で軸から遠い方の $x = -1$ である。

よって $f(x) = x^2 - 4x + 7$ より,

最大値は $f(-1) = (-1)^2 - 4(-1) + 7 = 1 + 4 + 7 = \mathbf{12}$ である。

解答　　**4**

➕プラス知識

2 次関数の最大最小

2 次関数の値が最大または最小となるのは頂点か定義域の端点である。よって, 平方完成により頂点の座標を求めることが必要である。平方完成の手順は

$y = ax^2 + bx + c \ (a \neq 0)$ に対し

$$y = a\left(x^2 + \frac{b}{a}x\right) + c$$
$$= a\left\{x^2 + \frac{b}{a}x + \left(\frac{b}{2a}\right)^2 - \left(\frac{b}{2a}\right)^2\right\} + c$$
$$= a\left\{\left(x + \frac{b}{2a}\right)^2 - \frac{b^2}{4a^2}\right\} + c$$

数 学

No. 81

2 次関数の応用

重要度 **C**

ある商品は 1 個 100 円で販売すると 1 日で 200 個売れる。この商品を 1 個につき 1 円値上げすると，1 日に売れる個数は 1 個ずつ減っていくという。この商品の 1 日当たりの売り上げを最大にするにはいくら値上げすればよいか。

1 25 円

2 50 円

3 75 円

4 100 円

5 150 円

解答欄

解 説 81

売り上げは (1 個の値段)×(販売個数) である。これより，1 日の売り上げを y 円，値上げ幅を x 円とすると，販売個数も x 個減るから，

$$y = (100 + x)(200 - x)$$
$$= -x^2 + 100x + 20000$$
$$= -(x - 50)^2 + 22500$$

よって，$x = 50$ のとき y は最大となる。

解答 **2**

$$= a\left(x + \frac{b}{2a}\right)^2 - \frac{b^2}{4a} + c$$
$$= a\left(x + \frac{b}{2a}\right)^2 - \frac{b^2 - 4ac}{4a}$$

の通りであり，頂点の座標は $\left(-\frac{b}{2a}, -\frac{b^2 - 4ac}{4a}\right)$ となる。

政治
経済
社会情報
日本史
世界史
地理
文学芸術
国語
数学
物理
化学
生物
地学
英語
現代文古文
資料解釈
判断推理空間把握
数的推理

確 率

大小 2 個のサイコロを同時に振り，出た目をそれぞれ a, b とするとき，2 次方程式 $x^2 + ax + b = 0$ が実数解をもつ確率はいくらか。

1 $\dfrac{4}{9}$

2 $\dfrac{17}{36}$

3 $\dfrac{1}{2}$

4 $\dfrac{19}{36}$

5 $\dfrac{5}{9}$

解答欄

解 説 82

まず，**全ての目の出方は $6^2 = 36$ 通り**である。2 次方程式 $x^2 + ax + b = 0$ が実数解をもつとき，判別式 $D = a^2 - 4b \geqq 0$，つまり $a^2 \geqq 4b$ となればよい。

$a = 1$ のときは不適。

$a = 2$ のときは $b = 1$ の 1 通り。

$a = 3$ のときは $b = 1$, 2 の 2 通り。

$a = 4$ のときは $b = 1$, 2, 3, 4 の 4 通り。

$a = 5$, 6 のときは $b = 1$, 2, $\cdots$6 の 6 通りずつ。

合計 **1 + 2 + 4 + 6 + 6 = 19** 通りとなる。

よって，求める確率は $\dfrac{19}{36}$ である。

解答　4

数学
No.83　平面図形　Ⓑ重要度

図の様に点 A を中心とする半径 7cm の円と点 B を中心とする半径 3cm の円があり，2 つの円の中心間の距離は 26cm であった。2 つの円に共通な接線を引いたとき，2 接点 CD 間の距離はいくらか。

1　$\sqrt{618}$ cm

2　$2\sqrt{165}$ cm

3　$\sqrt{734}$ cm

4　6cm

5　24cm

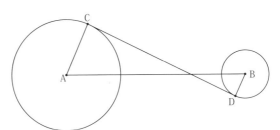

解答欄

解説 83

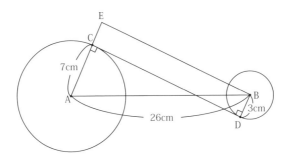

まず，CD は接線だから $\angle ACD = \angle BDC = 90°$ より，図のように**四角形 ECDB が長方形**となるように点 E をとる。すると，$\triangle ABE$ は $\angle E = 90°$ の直角三角形となり，AB = 26cm, AE = AC + CE = AC + DB = 7 + 3 = 10cm である。

よって，$\triangle ABE$ に三平方の定理を用いて CD = EB = $\sqrt{26^2 - 10^2}$ = **24cm** となる。

解答　5

○ 正 解 ○

1　次の式を×，÷の記号を用いないで表せ。

1　$(a \times x - b \times y) \div c \times z$

2　$(a \times x + b \times y) \div c \div z$

2　次の数量を文字式で表せ。

1　百の位が x，十の位が y，一の位が z である自然数。

2　p で割ると，商が q で余りが r である自然数。

3　50円切手 x 枚，80円切手 y 枚を買って，1000円払ったときのおつり。

4　原価 a 円の品物に，x% の利益を見込んでつけた定価。

5　直径 $x$cm である円の面積。

6　上底 $x$cm，下底 $y$cm，高さ $z$cm の台形の面積。

7　$x$km の道のりを $a$km/ 時で進んだ時間。

8　100g, a 円の肉 xg の値段。

9　男子3人の平均点が x 点，女子4人の平均点が y 点のときの7人の平均点。

10　a % の食塩水 xg に含まれる食塩。

1

1　$\dfrac{(ax - by)\, z}{c}$

2　$\dfrac{(ax + by)}{cz}$

2

1　$100x + 10y + z$

2　$pq + r$

3　$1000 - (50x + 80y)$

4　$a\left(1 + \dfrac{x}{100}\right)$

5　$\dfrac{\pi\, x^2}{4}$

6　$\dfrac{1}{2}(x + y)z$

7　$\dfrac{x}{a}$

8　$\dfrac{ax}{100}$

9　$\dfrac{3x + 4y}{7}$

10　$\dfrac{ax}{100}$

③ 次の直線の方程式を求めよ。

1　傾きが $\frac{1}{2}$ で，点（1，3）を通る。

2　切片が－2で，点（－1，－4）を通る。

3　2点（－1，3）（2，9）を通る。

④ 次の式を展開せよ。

1　$(2x - y)^2$

2　$(2x - y)^3$

3　$(x - 2y)(x + 2y)$

4　$(x - 2y)(x^2 + 2xy + 4y^2)$

5　$(x + 2y)(x^2 - 2xy + 4y^2)$

6　$(2x - y + 3z)^2$

⑤ $x + y = 2, xy = -1$ のとき, 次の式の値を求めよ。

1　$x^2 + y^2$

2　$x^3 + y^3$

3　$x - y$

○ 正　解 ○

③

1　$y = \frac{1}{2}x + \frac{5}{2}$

2　$y = 2x - 2$

3　$y = 2x + 5$

④

1　$4x^2 - 4xy + y^2$

2　$8x^3 - 12x^2y + 6xy^2 - y^3$

3　$x^2 - 4y^2$

4　$x^3 - 8y^3$

5　$x^3 + 8y^3$

6　$4x^2 + y^2 + 9z^2 - 4xy - 6yz + 12xz$

⑤

1　6

2　14

3　$\pm 2\sqrt{2}$

6 次の式を因数分解せよ。

1 $2x^2 - 8y^2$

2 $2x^2 - 8xy + 8y^2$

3 $2x^2 - 10xy + 12y^2$

4 $2x^2 - 13xy + 6y^2$

5 $2x^2 - xy - 6y^2$

7 次の式を簡単にせよ。

1 $\sqrt{6}\sqrt{24}$

2 $\sqrt{12} + \sqrt{27}$

3 $\dfrac{2}{\sqrt{5} - \sqrt{3}}$

4 $\sqrt{6 - 2\sqrt{5}}$

8 次の2次方程式を解け。

1 $x^2 - 6x + 9 = 0$

2 $x^2 - 6x + 5 = 0$

3 $x^2 - 5x + 6 = 0$

4 $x^2 + 5x - 6 = 0$

5 $x^2 - 6x - 5 = 0$

〇 正 解 〇

6

1 $2(x - 2y)(x + 2y)$

2 $2(x - 2y)^2$

3 $2(x - 2y)(x - 3y)$

4 $(2x - y)(x - 6y)$

5 $(2x + 3y)(x - 2y)$

7

1 **12**

2 $5\sqrt{3}$

3 $\sqrt{5} + \sqrt{3}$

4 $\sqrt{5} - 1$

8

1 $x = 3$

2 $x = 1,\ 5$

3 $x = 2,\ 3$

4 $x = 1,\ -6$

5 $x = 3 \pm \sqrt{14}$

物理

凸レンズ

図のように，凸レンズの中心から前方10cmの位置に，ある物体を置いた。この凸レンズの焦点距離は7.5cmである。この時レンズの後方何cmの位置に実像が現れるか。

1　5cm

2　10cm

3　15cm

4　20cm

5　30cm

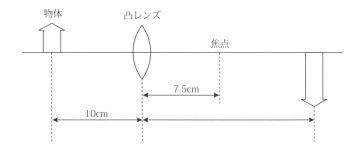

解説 84

凸レンズにおいて，物体からレンズまでの距離 a（cm）とレンズから実像までの距離 b（cm），凸レンズの焦点距離 f（cm）との間には，

$$\frac{1}{a} + \frac{1}{b} = \frac{1}{f}$$

の関係が成り立つ。本問では $f = 7.5$（cm）であるので，

$$\frac{1}{10} + \frac{1}{b} = \frac{1}{7.5}$$

より，$b = 30$（**cm**）になる。また，このとき生じる実像は物体の**3**倍の大きさになる。

解答　**5**

物理

No. 85　作用・反作用の法則　　重要度 A

以下の説明文で「作用・反作用の法則」が最も関係する現象はどれか。

1　バスが急発進すると，中に立っていた乗客が後ろに倒れそうになったり，逆に急停止すると，前に倒れそうになったりする。

2　信号待ちで停止した自転車を発進させるためには，走行中よりも大きな力でペダルを踏まなければならない。

3　水泳競技で，各選手は，折り返すときにプールの壁を強く蹴っている。

4　平らな板の上に本を載せ，その板を徐々に傾けていくと，板がある角度になったとき，本は滑り落ちはじめる。

5　ウールの布で摩擦したアクリルの下敷きに，小さく切った紙片を近づけると，紙片が引き寄せられる。

解答欄

政治
経済
社会情報
日本史
世界史
地理
文学芸術
国語
数学
物理
化学
生物
地学
英語
現代文古文
資料解釈
判断推理空間把握
数的推理

解　説　85

1 ×　静止している物体は静止し続けようとし，動いている物体は動き続けようとする。このような性質を**慣性**という。

2 ×　止まった物体が動き出すには，**静止摩擦力**より大きな力を加えなければならない。この力は動いている物質に働く**運動摩擦力**より大きい。

3 ○　物体に力がかかるとき，互いに向きが逆で同じ大きさの力で押し合う。これを**作用・反作用の法則**という。

4 ×　板から受ける**静止摩擦力**より，重力の斜面方向の力のほうが大きくなるとき物体は動き出す。

5 ×　アクリル板に生じた**静電気**が紙片を引き付ける。

解答　**3**

ばねの性質

　自然の長さが 20cm の同じばねア，イ，ウとおもり A，B を用意し，図のように天井からつり下げた。このとき，ばねア，イの長さは 24cm になった。おもり A の質量は 800g，おもり B の質量が 200 g である。このとき，ばねウは何cm 伸びるか。

　ただし，ばねの質量は無視できるものとし，ばねの伸びはおもりの質量に比例するものとする。

1　0.8cm

2　1.0cm

3　1.6cm

4　1.8cm

5　2.0cm

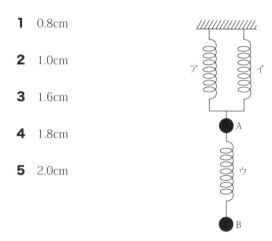

解答欄

　おもりをつるしたとき，ばねアとイの長さが 4 cm 伸びた。両方のばねにかかるおもりの重さは 1,000g なので，ばね 1 本当たりに 500g の重さがかかることになる。よって，おもり 100g 当たりのばねの伸びは 0.8cm になる。ばねウには 200g のおもりがかかるので，ウの伸びは **0.8 × 2 = 1.6cm** になる。

解答　　3

物理

No.87 速度と距離 A 重要度

政治 経済 社会情報 日本史 世界史 地理 文学芸術 国語 数学 物理 化学 生物 地学 英語 現代文古文 資料解釈 判断推理空間把握 数的推理

速さ 10m/s で直線道路を走っていた自動車が，一定の加速度 2.0m/s² で減速した。自動車が停止するまでに進んだ距離はいくらか。

1 10m

2 15m

3 20m

4 25m

5 30m

解答欄

解説 87

初速度 v_0（m/s），加速度 a（m/s²），移動した距離 s（m），その時の速度 v（m/s）とすると，次の関係が成り立つ。

$v^2 - v_0{}^2 = 2as$

車は初速度 10（m/s）で走行しており，2.0（m/s²）で減速し最後に停止した。よって，最終的な速度は 0（m/s）であるので，次の式が成り立つ。

$0^2 - 10^2 = -2 \times 2.0 \times s$

$s = 25$（m）

上記の公式の他にも，距離と時間，加速度の関係は時間を t（s）とすると

$s = v_0 t + \dfrac{1}{2} at^2$

で示される。加えて，速度と時間の関係は

$v = v_0 + at$

となる。

解答　4

波の性質

重要度

波（波動）に関する記述として最も妥当なのはどれか。

1 音波は，気体以外にも，液体や固体の媒質を伝わる横波であり，音の伝わる速さは，水中のほうが空気中よりも速い。

2 よく晴れた日の夜になると，遠くの音がよく聞こえるようになるのは，上空へ行くほど気温が低くなり，上空の空気を伝わる音の速さが遅くなるためである。

3 音の高さは，救急車がサイレンを鳴らしながら近づいてくるときよりも，救急車が止まっているときのほうがサイレンの音が高く聞こえる。この現象をドップラー効果といい，波長が長くなると音は高くなり，波長が短くなると音は低くなる。

4 2つのスピーカーから同時に音を出したとき，音のよく聞こえる場所とよく聞こえない場所が生じるが，これはスピーカーから出る音の波が，山と谷の重ね合わせで弱め合う所と，山と山，谷と谷の重ね合わせで強め合う所が現れるからであり，この現象をうなりという。

5 波には，振動が伝わらないようなビルなどの障害物の裏側までまわり込んで伝わる現象があり，この現象を波の回折というが，一般に，波長が長いほどよく回折する。

解答欄

解 説 88

1 × **音波は縦波**である。音の伝わる速さは，空気中より水中のほうが速い。

2 × よく晴れた日の夜は，放射冷却の影響で**上空より地表付近**のほうが**気温が低く**なることがある。このため上空の空気のほうが暖かいので，音波の伝わる方向はしだいに**水平方向に屈折**し，遠くまで届くようになる。

3 × 救急車のサイレンは近づいて来るほうが，止まっているときよりも高く聞こえる。これは，観測者に音が近づくとき，**波長が短くなる**ために，**振動数が大きくなり音が高くなる**ためである。

4 × 2つの波が山と山，谷と谷で強め合い，山と谷で弱め合う現象を**干渉**という。**うなりは2つの音の振動数が異なる**ことが原因で生じる現象である。

5 ○ 記述のとおりである。

解答　5

物理

No. 89　　　　　　　　**エネルギーの変換**　　　　(A) 重要度

　私たちの生活はいろいろなエネルギーによって支えられているが，私たちはエネルギーの形をさまざまに変換して利用している。A〜Eは，それぞれエネルギーを変換して利用する装置である。それぞれの装置で，変換する前と変換した後のエネルギーとして，正しい組合せをすべて挙げているのはどれか。

　　　　　　　　　　変換前　　　　　　　　変換後
A　原子力発電：核エネルギー　　→　電気エネルギー
B　水力発電機：化学エネルギー　→　電気エネルギー
C　太陽電池：光エネルギー　　　→　電気エネルギー
D　電子レンジ：光エネルギー　　→　熱エネルギー
E　マイクロホン：電気エネルギー　→　音エネルギー

1　A，B
2　A，C
3　B，C
4　C，D
5　D，E

解答欄 ［　　　　　　　］

解　説　89

A ○　原子力発電はウランの**核分裂のエネルギー**を，**電気エネルギー**に変換する装置である。
B ×　水力発電機は水の持つ**位置エネルギー**を利用して，タービンを回転させ発電する装置である。
C ○　太陽電池は太陽の**光のエネルギー**を，半導体を用いて**電気エネルギー**に変換する装置である。
D ×　電子レンジでは，**電磁波のエネルギー**が熱のエネルギーに換えられる。
E ×　マイクロホンは，**音のエネルギー**（振動）を**電気のエネルギー**に変換する装置である。

解答　　2

物 理

地 震

重要度

震源で生じた地震波を地表のある地点で観測したところ，初期微動継続時間が 10 秒であった。P 波と S 波が地中を伝わる速さをそれぞれ 6km/s，4km/s とするとき，観測地点から震源までの距離はいくらか。

1 80km

2 100km

3 120km

4 160km

5 200km

解答欄

解 説 90

　地震が生じたときに，観測点にはじめに到達する地震波を P 波（Primary wave）といい，続いて伝わる波を S 波（Secondary wave）という。P 波は縦波であり S 波は横波で，P 波のほうが S 波より速い。

　P 波が観測されてから，S 波が観測されるまでにかかる時間を初期微動継続時間という。

　震源から観測点までの距離を s（km）とすると，P 波が観測点に到達するのに要する時間は $\dfrac{s}{6}$（秒）であり，S 波では $\dfrac{s}{4}$（秒）である。よって

$$\frac{s}{4} - \frac{s}{6} = 10$$

より，$s = 120\text{km}$ となる。

解答　3

物理

No.**91**　　　　　　　　　　　電　気　　　　　Ⓐ重要度

電気に関する記述として最も妥当な組合せはどれか。

A　導線の電気抵抗の大きさは断面積に比例しているため，同じ長さで太さの異なる２本のニクロム線を並列に接続して電池につないだとき，太いニクロム線の方に大きな電圧がかかる。

B　平行板コンデンサーの電気容量を C [F]，２枚の極板間の電圧を V [V]，正極板に蓄えられた電荷を Q [C] とすると，$C = QV$ の関係が成り立つ。

C　導線に直線電流を流しても一般に磁場が発生しないが，導線を十分に巻いたコイルに電流を流すとコイルの内側の空気中を電子が一定方向に移動するため，磁場が発生する。

D　導体に電流が流れるときジュール熱が生じる。ジュール熱は電流が一定の場合，抵抗に比例し，電圧が一定のときは抵抗に反比例する。

E　単位時間に消費される電気エネルギーを電力（消費電力）という。電力は電圧×電流で求められ，その単位は W（ワット）である。

1　A，B
2　B，C
3　C，D
4　D，E
5　B，E

解答欄

解　説　91

A×　導線の抵抗の大きさは，**断面積に反比例**する。また，抵抗の異なる２本のニクロム線を**並列**に接続しても，並列回路では**電圧は同じ大きさ**になる。

B×　平行板コンデンサーの電気容量 C と電圧 V，電荷 Q の間の関係は，$Q = CV$ である。

C×　導線に**直線電流**を流すと，**右ねじの進む方向**を電流の向きに合わせたときの右ねじの回る向きに磁場が生じる。

D○　ジュール熱を Q（J），電流を I（A），電圧を V（V），抵抗を R（Ω），時間を t（s）とすると，$Q = VIt = I^2Rt = \dfrac{V^2}{R}t$ と，いろいろな式で表すことができる。

E○　電力を P（W），電流を I（A），電圧を V（V），抵抗を R（Ω）とすると，$P = VI = I^2R = \dfrac{V^2}{R}$ と表せる。

解答　4

政治
経済
社会情報
日本史
世界史
地理
文学芸術
国語
数学
物理
化学
生物
地学
英語
現代文古文
資料解釈
判断推理
数的推理

物 理

No. 92　支点からの距離　重要度

　1m の棒に図のように左端に 100g のおもりを，右端には 40g のおもりをつる
し，支点の右に 20g のおもりをつるして棒をつりあわせた。支点から左端まで
の距離 x（cm）と支点から 20g のおもりまでの距離 y（cm）の比が 3:1 であっ
た。左端から支点までの距離として正しいものはどれか。

1　24cm
2　30cm
3　36cm
4　42cm
5　45cm

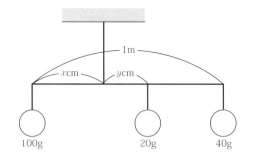

解答欄

解 説 92

　物体のつりあいでは支点の両側で，（おもりの重さ）×（支点からおもりまで
の距離）の値の合計が等しくなる。

　本問では，支点の左側の距離 $x$cm 位置に 100g のおもりをつり下げ，支点の
右側の距離 $y$cm の位置に 20g，距離（$100 - x$）cm の位置に 40g のおもりを
つるしている。

　よって以下の式が成り立つ。

　$100x = 20y + 40（100 - x）$

　さらに $x : y = 3 : 1$ なので，$x = 3y$ を代入すると，

　$x = 30$，$y = 10$ となる。

　よって，棒の左端から支点までの距離は **30cm** である。

解答　2

物理
No.93　電気と通信　Ⓐ重要度

電気と通信に関する記述として最も妥当なのはどれか。

1 携帯電話や無線LANなどで利用されている電波は，電場と磁場の振動が波となって空間を伝わるが，その速さは音の速さとほぼ同じである。

2 電柱に設けられている変圧器は，送電線を流れる交流の周波数を，コイルの巻き数比によって自由に上げ下げすることができる。

3 電流の大きさは，導体の断面を単位時間に通過する電荷の量で表されており，電流の向きは，負の電荷をもつ電子が移動する向きとしている。

4 直線電流では導線を中心とした同心円状の磁場ができる。磁場の向きは，右ねじの進む向きを電流の向きに合わせたときの右ねじの回る向きになる。

5 物体は，金属などのように電流を流しやすい導体，シリコンやゲルマニウムのように電流をほとんど流さない絶縁体，さらにガラスやゴムのように導体と絶縁体の中間の大きさの抵抗をもつ半導体に分類することができる。

解答欄

解説 93

1× 電波の速さは光の速さと同じである。**音の速さは温度によって変化し**，0℃では331.5（m/s）である。

2× **変圧器は相互誘導の原理を用いて**，電圧を変化させる装置である。

3× 電流の大きさは，導体の断面を**1秒間に通過する電気量**で表される。電流の向きは，**正の電荷**が移動する向きと定める。

4○ 記述のとおりである。

5× シリコンやゲルマニウムは**電流を一定の方向にだけ流す性質**をもつ。これらの物質は**半導体**と呼ばれる。ガラスやゴムは**電流を流さず，絶縁体**である。

解答　4

政治 経済 社会情報 日本史 世界史 地理 文学芸術 国語 数学 物理 化学 生物 地学 英語 現代文古文 資料解釈 判断推理空間把握 数的推理

物 理

以下の空欄にあてはまる語句や式を書きなさい。

1　（　　）とは，単位時間あたりの速度の変化量を表す。

2　初速度を v_0(m/s)，加速度を a(m/s²)，時間を t(s)とすると，t 秒後の速度 v は（　　）で表される。

3　初速度を v_0(m/s)，加速度を a(m/s²)，時間を t(s)とすると，t 秒間に移動した距離 x（m）は，（　　）である。

4　初速度を v_0（m/s），加速度を a（m/s²），終わりの速度が v（m/s）のとき，移動した距離 x（m）は（　　）となる。

5　質量 1 kg の物体に 1 m/s² の加速度を生じさせる力が，1（　　）である。

6　2 つの物体間では，同一作用線上に大きさが等しく，向きが逆の力が作用する。これを（　　）の法則という。

7　静止している物体に働く摩擦力を，静止摩擦力という。これは（　　）の大きさに比例する。

8　物体に働く力を F（N），質量を m（kg），加速度を a（m/s²）とすると，（　　）となる。これを運動方程式という。

9　物体に F（N）の力を加え，力の向きに s（m）移動させたときの仕事は（　　）であり，単位は（　　）である。

10　物体が持つ仕事をする能力を（　　）という。

○ 正 解 ○

1　**加速度**

2　$v = v_0 + at$

3　$x = v_0 t + \dfrac{1}{2} at^2$

4　$x = \dfrac{v^2 - v_0{}^2}{2a}$

5　**ニュートン（N）**

6　**作用・反作用**

7　**垂直抗力**

8　$F = ma$

9　Fs　**J（ジュール）**

10　**エネルギー**

○ 正 解 ○

11 質量 m（kg）で，速度が v（m/s）の物体の持つ運動エネルギーは（　　）である。

11 $\frac{1}{2}mv^2$

12 質量 m（kg）で，高さ h（m）の位置にある物体の持つ位置エネルギーは，重加速度を g（m/s²）とすると（　　）である。

12 mgh

13 電圧が V（V），電流が I（A）で，t（s）時間電流を流したときに生じる熱量 Q（J）は，（　　）である。

13 VIt

14 電流 I（A），電圧 V（V），電気抵抗 R（Ω）とすると，3つの間には $V=$（　　）の関係が成り立つ。

14 IR

15 直線電流がつくる磁場は，電流の進む向きに対して，（　　）回転の向きである。これを（　　）の法則という。

15 右　右ねじ

16 電流が磁場から受ける力と，磁場の向きと電流の向きは互いに垂直になる。これを（　　）の法則という。

16 フレミングの左手

17 波長を λ（m），振動数を f（Hz），周期を T（s），速さを v（m/s）で T と f の関係は（　　），v, f, λ の関係は（　　）。

17 $T=\frac{1}{f}$　$v=f\lambda$

18 波の山と山，谷と谷が重なって強め合ったり，山と谷が重なって打ち消し合う現象を（　　）という。

18 干渉

19 音の高さの違いは（　　）の違いによるもので，これが大きいほど高い音になる。

19 周波数

20 音源が移動しながら観測者に近づく場合，音は（　　）くなる。この現象を（　　）という。

20 高　ドップラー効果

政治 経済 社会情報 日本史 世界史 地理 文学芸術 国語 数学 物理 化学 生物 地学 英語 現代文古文 資料解釈 判断推理空間把握 数的推理

151

	○ 正 解 ○
21 波が障害物の裏側まで回りこむ現象を（　　）という。	21 回折
22 音波は空気中と水中では，（　　）のほうが速く伝わる。	22 水中
23 凸レンズでレンズと物体の距離を a，レンズと像の距離を b，レンズの焦点距離を f とすると，（　　）の関係が成り立つ。	23 $\dfrac{1}{a} + \dfrac{1}{b} = \dfrac{1}{f}$
24 静電気力 F（N），2つの電荷を q_1，q_2（C），電荷間の距離を r（m）とし，比例定数を k とすると，$F =$（　　）	24 $k\dfrac{q_1 q_2}{r^2}$
25 導体が蓄える電荷 Q（C）と電位 V（V）は（　　）する。電気容量の単位は（　　）である。	25 比例　ファラド（F）
26 単位時間に消費される電気エネルギーを，電力という。電力の単位は（　　）である。	26 ワット（W）
27 外から気体に加えた熱量が Q（J），仕事が W（J），内部エネルギーの増加分が ΔU（J）で，$\Delta U =$（　　）である。	27 $Q + W$
28 27の関係を熱力学（　　）法則という。	28 第一
29 円運動している物体で，円の中心と反対向きに働く慣性力を（　　）という。	29 遠心力
30 電圧や電流の向きが変化しない電気を（　　），周期的に変化する電気を（　　）という。	30 直流　交流
31 物体に加わった力が物体を回転させる働きをするとき，この働きの大きさを（　　）という。	31 力のモーメント

化学

No. **94** 　　　　　　　　　**化学結合**　　　　　　　　　重要度

原子間やイオン間の結合に関する記述として最も妥当なのはどれか。

1　イオン結合でできている結晶をイオン結晶という。イオン結晶は硬くて融点が高いため，その多くは水に溶けやすい。

2　水分子は 2 個の水素原子と 1 個の酸素原子が一直線上に並んだ形をしている。

3　水素原子は陽子 1 個と中性子 1 個からできたものがほとんどであるが，中性子を含まないものも存在する。これを重水素という。

4　金属は，隣接した原子どうしの電子が対になることにより強く結合しており，共有結合の結晶に比べ，展性や延性が小さく，硬い。

5　アンモニア分子など，分子として電気的な偏りのないものを無極性分子という。この分子間には弱い引力が働くが，分子量が大きくなるほど引力は小さくなる。

解答欄　　　　　　

● **解 説 94**

1 ○　イオン結合性の物質の多くは，**水に溶けて電離**する。

2 ×　水分子は**折れ線型**の分子である。

3 ×　水素原子のほとんどが中性子のない**軽水素**と呼ばれる原子であり，わずかに**中性子を 1 個含む重水素**が天然には存在する。

4 ×　金属結合は**自由電子**と**金属陽イオン**の結合で結びついている。自由電子の働きにより，**延性や展性に優れる**。原子間で電子を共有する結合は，共有結合である。

5 ×　アンモニアは三角錐型の分子であり，**極性を持つ極性分子**である。分子間には水素結合が働くので，**分子間の引力は比較的強い**。また，分子間引力は分子量が大きくなるほど強い。

解答　　1

化 学

No.95 物質の性質 Ⓐ 重要度

メタン（CH_4）に関する記述として間違っているのはどれか。

A　水に溶けにくく，常温で空気より軽い気体である。

B　塩素ガスを加えて光を当てると付加反応が生じ，クロロメタンができる。

C　常温では，無色，無臭の気体で，天然ガスに多く含まれ，都市ガスとして利用されている。

D　酢酸カルシウムにソーダ石灰を反応させると得られる気体である。

E　炭素原子を中心に，4個の水素原子が共有結合で結びついた分子である。

1　A，B

2　A，E

3　B，C

4　B，D

5　C，E

解答欄

解 説 95

A○　メタンは**水に溶けない**，**空気より軽い**気体である。

B×　メタンに**塩素**を加え**紫外線**を照射すると，**置換反応**が起こりクロロメタンが生じる。さらに置換反応を行うと，ジクロロメタン，トリクロロメタン（クロロホルム），テトラクロロメタン（四塩化炭素）が生じる。

C○　メタンは**無色**，**無臭**の気体であり，**天然ガス**の主成分である。

D×　メタンは**酢酸ナトリウムとソーダ石灰を加熱**すると発生する。その際，$CH_3COONa + NaOH \rightarrow Na_2CO_3 + CH_4$ の反応が起こる。

E○　メタンは炭素原子を中心に，**4つの水素原子**が正四面体の頂点に位置する**正四面体構造**をとる。

以上から，正解は**4**である。

解答　4

化学反応

重要度

　鉄（Fe）やアルミニウム（Al）は，塩酸と反応させると水素が発生する。これらの金属それぞれ1gと十分な量の塩酸を完全に反応させるとき，発生する水素の標準状態における体積の比として最も妥当なのはどれか。

　ただし，Fe，Alの原子量をそれぞれ56，27，塩酸と反応してできる水素以外の生成物は，$FeCl_2$，$AlCl_3$のみとする。

　　　Fe：Al

1　1：1

2　2：1

3　3：1

4　1：2

5　1：3

解答欄 [　　　　　]

解説 96

両方の金属の塩酸との反応式は以下の通りである。

$Fe + 2HCl \rightarrow FeCl_2 + H_2$

$2Al + 6HCl \rightarrow 2AlCl_3 + 3H_2$

鉄1molから発生する水素は1molである。

アルミニウム1molからは$\dfrac{3}{2}$molの水素が生じる。1gの鉄は$\dfrac{1}{56}$molであり，それから生じる水素も$\dfrac{1}{56}$molである。1gのアルミニウムは$\dfrac{1}{27}$molで，それから生じる水素は$\dfrac{1}{27} \times \dfrac{3}{2}$molである。標準状態なので気体の体積比と物質量比は等しい。よって1gの鉄から生じる水素の体積と，1gのアルミニウムから生じる水素の体積の比は，$\dfrac{1}{56} : \dfrac{1}{27} \times \dfrac{3}{2} = 1 : 3.1$となる。

解答　5

政治
経済
社会情報
日本史
世界史
地理
文学芸術
国語
数学
物理
化学
生物
地学
英語
現代文古文
資料解釈
判断推理空間把握
数的推理

化学
No.97　気体の性質

重要度 Ⓐ

以下に示す**気体のうち**，次の 3 つの条件をすべて満たすものはどれか。

A　同温・同圧のもとで，空気よりも密度が大きい。
B　無色である。
C　水に溶ける。
（　）内の数字は各物質の分子量を示す。

1　塩化水素（36.5）
2　塩素（71）
3　アンモニア（17）
4　二酸化窒素（46）
5　水素（2.0）

解答欄 ▢

解　説　97

気体の状態方程式を変形して，密度（d）を求める式にすると，

$$d = \frac{w}{V} = \frac{PM}{RT}$$

この式より，密度と気体の分子量が比例することがわかる。（ここで，M は気体の分子量，w は気体の質量，V は気体の体積，P は圧力，T は絶対温度，R は気体定数を表す）空気の平均分子量は，窒素と酸素の体積比が 4：1 より，28.8 と計算できる。よって空気より密度の大きい気体は，分子量が 28.8 より大きな気体である。

5 つの気体のうち，塩素は黄緑色，二酸化窒素は赤褐色であり，他は無色である。

5 つの気体のうち水に溶けるものは，塩化水素，塩素，アンモニア，二酸化窒素である。

すべてを満たすものは，**塩化水素**である。

解答　　1

還元反応

下線を付した物質が酸化される反応として妥当なものだけを挙げているのはどれか。

A 鉄がさびる反応

B 鉄鉱石（Fe_2O_3）に含まれる鉄が，コークスを使った製錬によって取り出される反応

C 二酸化硫黄（SO_2）と硫化水素（H_2S）が反応して，硫黄（S）に変化する反応

D 熱した酸化銅（II）（CuO）に水素（H_2）を吹き込むと銅（Cu）が生じる

E 塩素（Cl_2）をヨウ化カリウム水溶液（KI）と反応させるとヨウ素（I_2）が生じる

1 A，D

2 A，E

3 B，C

4 B，D

5 C，E

解答欄

解 説 98

A ○ 鉄がさびる反応は，鉄の**酸化反応**である。

B × 鉄鉱石の主成分である酸化鉄（III）が，コークスから生じる一酸化炭素によって**還元**され，鉄に変わる。この時生じる炭素を多く含む鉄を銑鉄という。

C × 二酸化硫黄中の硫黄原子の酸化数は（＋4）であり，これが単体の硫黄に**変化**する。単体の酸化数は（0）であり，酸化数が反応前後で減少する物質は，**還元**されている。

D × 酸化銅（II）は水素によって**還元**されて，単体の銅に変わる。

E ○ ハロゲン単体の酸化力の強さは，$F_2 > Cl_2 > Br_2 > I_2$ の順に変化する。この反応では，酸化力の強い塩素が，酸化力の弱いヨウ素を追い出している。ここで塩素自身は**還元**されて，ヨウ化カリウムは**酸化**されている。

以上から，正解は**2**である。

解答　　2

化 学

No. **99**

水溶液 pH

重要度 A

政治
経済
社会
情報
日本史
世界史
地理
文学
芸術
国語
数学
物理
化学
生物
地学
英語
現代文
古文
資料
解釈
判断推理
空間把握
数的
推理

次の4種類の水溶液をpHの小さいものから順に並べると，3番にくるものはどれか。すべての溶液の濃度は0.10mol/ℓとする。

A 塩化ナトリウム水溶液
B 炭酸水素ナトリウム水溶液
C 硫酸水素ナトリウム水溶液
D 水酸化ナトリウム水溶液

1 A
2 B
3 C
4 D
5 これだけでは判断できない。

解答欄

解 説 99

A 強酸と強塩基の中和反応で生じる塩なので，水溶液は**中性**であり，pHは7である。

B 弱酸の炭酸と強塩基の水酸化ナトリウムから生じる塩なので，塩基性を示す。水溶液中では電離して生じた炭酸水素イオンが加水分解反応を起こし，その結果水酸化物イオンの濃度が水素イオンの濃度より多くなり，**弱塩基性**になる。

C 電離して生じる硫酸水素イオンが，さらにもう一段階電離し水素イオンを生じるので，水溶液は**酸性**になる。

D 水酸化ナトリウムは**強塩基**なので，**B**の水溶液よりさらに塩基性が強い。
よって，pHの小さい順に並べると，**C＜A＜B＜D**となり，正解は**2**である。

解答 2

物質の状態

重要度

物質の状態に関する記述のうち間違っているのはどれか。

1 圧力なべを利用すると，水は 100℃より高い温度で沸騰させることができる。

2 ベンゼンは水に溶けにくいが，エタノールは水に溶けやすい。

3 ドライアイスやナフタレンは，常温常圧のもとで放置されると昇華しやすい。

4 水酸化ナトリウムの固体は空気中の水分を吸収して溶ける。この現象を風解という。

5 溶媒 100g に溶かすことのできる溶質の最大の質量を溶解度という。多くの固体では温度が高いほど溶解度は大きい。

解答欄

解 説 100

1 ○ 物質の蒸気圧は温度によって変化する。蒸気圧が**外気圧と等しくなるとき，沸騰**が生じ，そのときの温度を**沸点**と呼ぶ。圧力鍋を用いると，鍋の中の圧力は**1 気圧以上**になり，沸点も **100℃以上**になる。

2 ○ ベンゼンは**無極性分子**であり，**水には溶けない**。エタノールは**極性分子**なので**水に溶ける**。

3 ○ ドライアイスもナフタレンも**無極性分子**であり，分子間力が弱く**昇華しやすい**。

4 × 水酸化ナトリウムの固体が空気中の水分を吸収して溶解する現象を**潮解**という。**風解**とは，結晶中の水和水が失われる現象のことである。

5 ○ 固体の溶解度は**温度が高いほど大きくなる**ものがほとんどである。しかし温度の影響を多く受ける物質と，あまり受けない物質がある。溶解度の違いを利用して，固体を分離する方法を**再結晶法**という。

解答　**4**

化 学

No.101　コロイド溶液　Ⓐ 重要度

次はコロイド溶液に関する記述であるが，A，B，C に当てはまる語句の組合せとして最も妥当なのはどれか。

コロイド粒子の直径は 10^{-9} ～ 10^{-7}m 程度であり，コロイド粒子を含む溶液をコロイド溶液という。コロイド粒子は表面に帯電しており，直流電流を流すとコロイド粒子が移動する。これを（　A　）という。

コロイド溶液に横から強い光を当てると，光の通路が明るく輝いて見えるが，これはコロイド粒子に光が当たり，光が乱反射されることによって起こるものであり，（　B　）という。

また，コロイド粒子に少量の電解質を加えると沈殿が生じる現象を（　C　）という。これは疎水コロイドで生じる。

	A	B	C
1	透析	ブラウン運動	塩析
2	電気泳動	チンダル現象	凝析
3	電気泳動	ブラウン運動	塩析
4	ブラウン運動	チンダル現象	凝析
5	ブラウン運動	チンダル現象	塩析

解答欄

解説 101

A　コロイド粒子は表面に帯電しているため，コロイド溶液に直流電流を流すと，表面の荷電と逆の符号の電極側にコロイド粒子が移動する。この現象を**電気泳動**という。

B　コロイド粒子が光を乱反射するため，光の通路が輝いて見える現象を**チンダル現象**という。これはコロイド粒子の直径が，原子や分子の直径の 10 ～ 1000 倍の大きさを持つために起こる。

C　コロイド粒子は表面に帯電をしており，粒子同士は反発するため凝集して沈殿することがない。そこに少量の電解質を加えると，電離して生じるイオンがコロイド粒子の電荷を中和し，粒子間の反発力がなくなり沈殿が生じる。この現象は**疎水コロイド**で生じ**凝析**という。**親水コロイド**では，コロイド粒子の周りに水和水が多く水和しており，沈殿させるためには多量の電解質が必要になる。この現象を**塩析**という。

以上から，正解は **2** である。

解答　2

マグネシウムとカルシウム

 重要度

2族の元素であるマグネシウムとカルシウムに関する記述として妥当なのはどれか。

1 どちらも常温の水と反応して水素を発生する。

2 ともに炎色反応を示す。

3 どちらの元素の水酸化物も，強塩基性を示す。

4 ともに炭酸塩は白色沈殿である。

5 どちらの元素の硫酸塩も水によく溶ける。

解答欄

解 説 102

1 × マグネシウムは常温の水とほとんど**反応しない**が，カルシウムは**水酸化カルシウム**となり，水素を発生する。

2 × マグネシウムは**炎色反応を示さない**。カルシウムの炎色反応は橙赤色，ストロンチウムは紅色，バリウムは黄緑色である。

3 × マグネシウムの水酸化物は水に溶けにくく，**弱塩基性**である。カルシウムの水酸化物は**強塩基性**である。

4 ○ **ともに炭酸塩は沈殿**し，その色は**白色**である。

5 × マグネシウムの硫酸塩は**水に溶ける**が，カルシウムの硫酸塩は**水に溶けにくい**。

解答　4

化 学

No. **103**   物質の分類・分離・原子構造   Ⓐ重要度

物質に関する記述として間違いを含むものはどれか。

1 物質は原子という微粒子からできているが,その原子の中心にある原子核は,正電荷をもつ陽子と電気的に中性な粒子である中性子から構成されており,陽子と中性子の質量はほぼ等しい。

2 有毒性をもち自然発火する黄リンと,無毒で自然発火しない赤リンは,同じリン（P）という元素を含んでいるが性質の異なる化合物であり,これらは互いに同素体である。

3 原油は異なる沸点をもった数種類の液体からなる混合物である。それらは沸点の低い方からナフサ（粗製ガソリン）,灯油,軽油,重油の順で蒸留により分離される。

4 多くの元素には何種類かの同位体が存在しているが,質量数の大きい同位体の中には放射線を出す同位体があり,これを放射性同位体（ラジオアイソトープ）という。同位体同士の化学的性質は異なる。

5 空気,海水,ジュラルミンなどの身の回りに存在するほとんどすべての物質は,何種類かの純物質が混じり合った混合物であり,これらの混合物は蒸留などの物理的な方法によって,いくつかの純物質に分離することができる。

解答欄 ☐

解 説 103

1 ○ **原子核**は**陽子**と**中性子**からできている。**両者の質量はほぼ等しい**。

2 ○ 黄リンは空気中で自然発火するため,水中に保存する。**有毒な物質**である。赤リンには**毒性はない**。**ともに同素体の関係**にある。黄リンを空気を遮断して加熱すると赤リンに変わる。

3 ○ **原油**を沸点の違いを利用して分離すると,**ナフサ（粗製ガソリン）**や**灯油,軽油,重油**に分かれる。このような分離方法を**分留**という。

4 × **前半の説明は正しいが,同位体同士では化学的な性質は変わらない。**

5 ○ 空気は主な成分が**窒素**と**酸素**である。海水中に含まれる塩類で最も多いものは**塩化ナトリウム**である。続いて塩化マグネシウム,硫酸マグネシウムが多く含まれる。ジュラルミンはアルミニウムに銅,マグネシウム,マンガンなどを混合した合金である。

解答 **4**

政治
経済
社会情報
日本史
世界史
地理
文学芸術
国語
数学
物理
化学
生物
地学
英語
現代文古文
資料解釈
判断推理空間把握
数的推理

フォローアップ　化　学

以下の空欄にあてはまる語句を書きなさい。

○ 正 解 ○

1　原子は原子核と（　　）でできており，原子核は正の電荷をもつ（　　）と電気的に中性な（　　）からなる。

1　電子　陽子　中性子

2　原子番号が同じで質量数の異なる原子同士を（　　）という。

2　同位体

3　物質を構成する成分を元素といい，一種類の元素だけでできる物質を（　　）という。

3　単体

4　結合の仕方が異なるため，物理的，化学的な性質の異なる同じ元素の単体同士を（　　）という。

4　同素体

5　原子から電子が奪われたり，原子が電子を受けとったりすると（　　）になる。

5　イオン

6　非金属元素同士は互いに電子を出し合って結合する。この結合を（　　）という。

6　共有結合

7　次の原子の原子量を用いてアンモニアの分子量を求めると（　　）になる。H = 1.0, N = 14

7　17

8　エタノールの分子量は 46 である。2.3g のエタノールの物質量は（　　）mol である。

8　0.05

9　分子量 32 の酸素 6.4g は標準状態で（　　）ℓの体積を占める。

9　4.48

10　溶液 1 ℓ 中に含まれる溶質の物質量を（　　）という。

10　モル濃度

11　固体から液体への変化を（　　），液体から固体への変化を（　　）という。

11　融解　凝固

○ 正 解 ○

12　液体の内部から気化が生じる現象を（　　）といい，その時の温度を（　　）という。

12 沸騰　沸点

13　物質 1 mol を，その成分元素の単体からつくる時の熱量を（　　）という。

13 生成熱

14　反応の経路にかかわらず，初めの状態と終わりの状態で反応熱は決まる。この法則を（　　）という。

14 ヘスの法則

15　ブレンステッドの定義によれば，（　　）とは，水素イオンを放出する物質である。

15 酸

16　酸は水溶液中では水素イオンと陰イオンに電離する。この電離の割合を（　　）という。

16 電離度

17　0.10mol/ℓの硫酸水溶液 10mℓを中和するのに要する 0.10mol/ℓの水酸化ナトリウム水溶液は（　　）mℓ。

17 20

18　NaCl水溶液の液性は（　　）。Na_2CO_3水溶液は（　　），NH_4Cl水溶液では（　　）である。

18 中性　塩基性　酸性

19　0.10mol/ℓの塩酸の pH は（　　）である。

19 1

20　化学反応で電子を放出した物質は（　　）されており，電子を受け取った物質は（　　）されている。

20 酸化　還元

21　$Cu + 2H_2SO_4 \rightarrow CuSO_4 + SO_2 + 2H_2O$　この反応で酸化剤として働いている物質は（　　）である。

21 H_2SO_4

22　炭素原子を中心とする化合物を（　　）という。

22 有機化合物

23　分子式が同じで，構造や性質の異なる物質同士を（　　）という。	○ 正 解 ○23 異性体
24　第一級アルコールを穏やかに酸化すると（　　）が生じ，第二級アルコールを酸化すると（　　）が生じる。	24 アルデヒド　ケトン
25　カルボン酸とアルコールから水がとれて生じる物質を（　　）という。	25 エステル
26　ベンゼン環を含む化合物を（　　）という。	26 芳香族化合物
27　非金属元素の酸化物を（　　）酸化物といい，金属元素の酸化物を（　　）酸化物という。	27 酸性　塩基性
28　水素を除く1族の金属元素を（　　）という。	28 アルカリ金属
29　17族の元素を（　　）といい，このうち単体が常温，常圧で液体のものは（　　）である。	29 ハロゲン　臭素
30　18族の元素を（　　）という。これらの元素は安定で化合物をつくらず，原子1個で分子を構成する。	30 貴ガス
31　カルシウムの化合物で,酸化カルシウムは（　　）と呼ばれ,水酸化カルシウムは（　　）と呼ばれる。	31 生石灰　消石灰
32　硫酸カルシウム二水和物は（　　）と呼ばれ，医療用ギブスなどに用いられる。	32 セッコウ
33　NaやCaの単体は水や空気と反応するので,（　　）中に保存する。	33 石油（灯油）
34　窒素と水素から触媒を用いてアンモニアを合成する方法を（　　）法という。	34 ハーバー（ハーバー・ボッシュ）

生物

血糖濃度の調節

重要度

　人体の血糖濃度の調節に関する記述について，A ～ E に当てはまるものの組合せとして最も妥当なのはどれか。

　血液中のブドウ糖を血糖といい，血糖は一定量に保たれ，自律神経とホルモンで調整されている。

　血糖濃度が一時的に上昇し，この血液がすい臓を流れると，すい臓のランゲルハンス島の B 細胞から（　A　）が分泌される。また，血糖濃度の上昇は視床下部でも感知され，（　B　）がすい臓に働いて（　A　）の分泌を促す。この結果，血糖濃度は低下し，通常の値に戻る。

　逆に血糖濃度が低下すると，すい臓のランゲルハンス島の A 細胞から（　C　）が分泌され，さらに視床下部でも感知され（　D　）が副腎髄質に働いて（　E　）を分泌させ，血糖濃度を上昇させる。

	A	B	C	D	E
1	グルカゴン	交感神経	インスリン	副交感神経	アセチルコリン
2	グルカゴン	副交感神経	グルカゴン	副交感神経	アセチルコリン
3	インスリン	副交感神経	インスリン	交感神経	アセチルコリン
4	インスリン	交感神経	グルカゴン	副交感神経	アドレナリン
5	インスリン	副交感神経	グルカゴン	交感神経	アドレナリン

解答欄

解 説 104

　高血糖は視床下部の糖中枢で感知され，**副交感神経**の迷走神経を通して，**すい臓**のランゲルハンス島 B 細胞から**インスリン**が分泌される。**インスリン**は細胞におけるブドウ糖の消費を促し，肝臓や筋肉でのグリコーゲンへの作り替えを促進し，血糖濃度を低下させる。加えて，すい臓が直接高血糖を感知し，**インスリン**の分泌を行う。

　一方，**低血糖**では視床下部で感知されたのち，**交感神経**により副腎髄質が刺激され**アドレナリン**を分泌する。アドレナリンは肝臓や筋肉に蓄えられているグリコーゲンをブドウ糖に変える。また，**すい臓**が直接低血糖を感知し，ランゲルハンス島の A 細胞から**グルカゴン**が分泌される。**グルカゴン**も肝臓や筋肉のグリコーゲンをブドウ糖に変える。

　以上から，正しい組合せは **5** である。

解答　　5

生物

No. **105** **植物ホルモンの働き** Ⓐ 重要度

次の植物ホルモンと各記述の名称の組合せとして妥当なもののみを挙げているのはどれか。

A　アブシシン酸：種子は，発芽するまで休眠の状態にある。この植物ホルモンは種子の発芽を抑制し，休眠を維持する。

B　オーキシン：イネ科植物では，胚乳に蓄積されたデンプンがアミラーゼという酵素によって糖に分解され，胚の成長に利用される。この酵素の合成はこの植物ホルモンによって引き起こされる。

C　エチレン：青いバナナを成熟したリンゴと同じ箱に入れておくとバナナの成熟が早まる。これは，リンゴの果実が放出するこの植物ホルモンが，果実の成熟を促進させる働きをもつからである。

D　グルカゴン：細胞分裂を促進し，細胞の老化防止，気孔を開かせる作用をもつ。

E　ジベレリン：細胞の伸長成長を促進したり，細胞分裂を促進する。またこのホルモンは光の影響を受ける。

1　A，C　　　　　　　　**2**　A，D
3　B，C　　　　　　　　**4**　B，E
5　D，E

解答欄

解 説 105

A ○　アブシシン酸は落葉，落果を促進し，**種子の発芽を抑制し休眠**させる働きをする。

B ×　オーキシンは**細胞の伸長成長を促す**。オーキシンは光の影響を受ける。オーキシンの生成部に一方から光を当てると，光の当たらない側に移動する。**E**の説明が**オーキシン**の説明で，**B**は**ジベレリン**の説明文である。

C ○　エチレンは**果実の成熟を促進**させる。

D ×　グルカゴンはすい臓のランゲルハンス島のＡ細胞から分泌されるホルモンで，**血糖量を増加させる**働きがある。**D**の説明は**サイトカイニン**の説明である。

E ×　ジベレリンは**茎の伸長を促進**する。ジベレリンはアミラーゼを合成し，生成されたアミラーゼは胚乳に分泌され，デンプンを糖に分解する。生じた糖は，胚に吸収され植物の成長に利用される。オーキシンとは移動や作用の仕方が異なる。

解答　**1**

遺伝子

重要度

次の文は遺伝に関する記述であるが，ア〜エに当てはまるものの組合せとして最も妥当なのはどれか。

マメ科のスイートピーの花の色には，2組の遺伝子が関与している。遺伝子Cは色素原をつくる遺伝子で，cは色素原をつくらない遺伝子，また，遺伝子Pは色素原を発色させる遺伝子で，pは発色作用のない遺伝子である。

いま，異なる2種類の白色の花がある。この純系どうし〔CCppとccPP〕を交配すると，F_1はすべて紫色の花となり，次にF_1どうしを自家受精させた。このとき生じるF_2の中で遺伝子型がCcPpのものは（　ア　）色の花であり，CCppのものは（　イ　）色の花になる。F_2全体では紫色の花と白色の花が（　ウ　）の比に分離して現れる。

このように，2つの遺伝子が働きあって1つの形質をつくる場合，遺伝子CとPをともに（　エ　）遺伝子という。

	ア	イ	ウ	エ
1	紫	淡赤	9：7	優性
2	紫	白	9：7	補足
3	淡赤	白	9：7	劣性
4	淡赤	淡赤	13：3	優性
5	紫	白	13：3	補足

解答欄 [　　　　　　]

解説 106

遺伝子Cが存在しなければ色素原ができない。しかし，Pが存在しなければ，色素原が存在しても紫色の色素に変えられないため白色花になる。遺伝子CとPが共存するときのみ，紫色の花になる。よってCcPpは**紫色の花**であり，CCppは**白色の花**である。

F_1どうしの自家受粉で生じるF_2では，表現型の分離比が3：1ではなく，**9：7**になる。

このように2つの遺伝子がたがいに働きあい，単独では生じない形質が現れるとき，これらの遺伝子を**補足遺伝子**という。

解答　**2**

生　物

No.107

からだの構造と機能

 重要度

ヒトのからだの構造や機能に関する記述として最も妥当なのはどれか。

1 間脳は，いくつかの中枢に分かれていて，これらには末梢神経から伝えられた感覚情報を統合する中枢，随意運動の制御を行う中枢，及び複雑な精神活動を行う中枢がある。

2 腎臓に入った血液は，ボーマン嚢（のう）でろ過され，血球やタンパク質などの大きな成分が取り除かれて原尿となる。原尿からは腎細管を通る間に，水，ブドウ糖，無機塩類などが再吸収される。

3 肝臓は，血液中の血糖値を調節するためにグルコースをグリコーゲンとして蓄えたり，余分な糖やアミノ酸を脂肪に変える。また，胆のうで作られた胆汁を蓄える。

4 網膜には錐体細胞（すい）と桿体細胞（かん）があり，桿体細胞は色の違いを感じ取ることができる。一方，錐体細胞は色の区別はできないが，非常に弱い光でも感じ取ることができる。

5 血管は，動脈，静脈，毛細血管に分けられる。静脈の壁は動脈より丈夫にできていて，弾力性が大きい。毛細血管の壁は一層の細胞壁でできている。

解答欄

解 説 107

1× 感覚，随意運動，精神活動に関係するのは，**大脳**である。**間脳**は自律神経を制御し，体温調節や血糖量の調節をつかさどる。

2○ **原尿**は腎細管を通る間にブドウ糖，水，無機塩類などが**再吸収**される。

3× 胆汁は**肝臓**で作られ，**胆のう**に蓄えられる。肝臓は血糖値の調節のために，グルコースをグリコーゲンとして蓄えたり，分解してグルコースを供給したりする。また，余分な糖やアミノ酸を**脂肪**に変える。

4× 桿体細胞は**色の区別ができない**が，弱い光でも感じ取れる。錐体細胞は**色の違いを区別でき**，明るい光のもとでよくはたらく。

5× **動脈**の壁は**静脈**より丈夫にできており，弾力性が大きい。毛細血管の壁は一層の細胞壁でできており，ところどころに収縮性の細胞があり，血流量の調整をして体温調節を行う。

解答　2

生物と環境保全

 重要度

環境の保全と生物に関する記述として間違っているのはどれか。

1　車の排気ガスや工場の排煙に含まれる硫黄酸化物や窒素酸化物が雨に溶け込み pH が 5.6 以下になったものを酸性雨という。酸性雨により湖沼のプランクトンが死滅し，それを捕食する大型の水生動物も死滅する被害が生じている。

2　BOD とは生物化学的酸素要求量の略で，水中の有機物が細菌によって分解されたとき消費される酸素の量を ppm で表したものである。BOD の値が大きいほど有機物が多く，水質が汚濁していることを示す。

3　我が国のような島国では，自然界に存在する生物種が相対的に少なく生態系が不安定であるので，生態系保全のためにオオクチバス（ブラックバス）などの外来種の導入を進めている。

4　DDT などの難分解性の有害物質は，小エビ→マス→カモメといった食物連鎖を通してしだいにその濃度が増加する。

5　大気中のフロン濃度が上昇すると，オゾン層を破壊し地表に達する紫外線の量が増えると考えられている。

解答欄

解　説 108

1 ○　通常でも雨には空気中の二酸化炭素が溶け込み，酸性になっているが，酸性雨は**酸の濃度が高く，pH が 5.6 以下**のものをいう。

2 ○　水質汚濁の指標には他にも，**DO（溶存酸素量）や COD（化学的酸素要求量）**などがある。

3 ×　**外来種が持ち込まれる**と，天敵がいないため繁殖し，**生態系を破壊**する危険性や，交雑により**固有種が失われる**危険がある。

4 ○　食物連鎖により，**高次の消費者**ほど有害物質の**体内の濃度が高く**なる。これを**生物濃縮**という。

5 ○　紫外線の照射を受けると，**皮膚ガンや白内障**などの障害が引き起こされる可能性が高くなる。

解答　　3

生 物

No.109

細胞の構造と働き

 重要度 A

図は光学顕微鏡で観察できる細胞の構造を模式的に示したものである。図中のA〜Eと，細胞における働きに関する説明ア〜オの組合せとして最も妥当なのはどれか。

ア　動物細胞の分裂のときに紡錘体と星状体になる。

イ　細胞内の活動を調節する働きと，生物の個体のいろいろな特徴を次の世代に伝える働きがある。

ウ　成熟した細胞では，糖・有機酸・アントシアン（色素）などを含み，水分調節の働きがある。

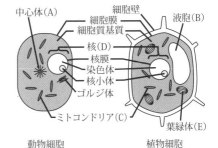

動物細胞　　　　　植物細胞

エ　クロロフィルなどを含み，光エネルギーを吸収して光合成を行う働きがある。

オ　呼吸に関係する酵素を含み，有機物から効率よくエネルギーを取り出す働きがある。

	A	B	C	D	E
1	ア	イ	エ	ウ	オ
2	ア	ウ	オ	イ	エ
3	イ	ア	オ	ウ	エ
4	イ	ウ	オ	ア	エ
5	ウ	イ	エ	オ	ア

解答欄

解 説 109

ア　**中心体**の説明である。**中心体**は高等植物の細胞にはない。

イ　**核**の説明である。**核**は細胞内の活動を調整し，遺伝情報を染色体の中に持つ。

ウ　**液胞**の説明である。**液胞**には糖や色素が溶け込んでいる。動物細胞でも見られるが，植物細胞では発達した**液胞**が見られる。

エ　**葉緑体**の説明である。**葉緑体**はクロロフィルやキサントフィルなどの色素を含み，光合成を行う。

オ　**ミトコンドリア**についての説明である。**ミトコンドリア**はエネルギーを作り出す場所である。好気呼吸により，ATPの合成が行われる。

以上から，正しい組合せは**2**である。

解答　2

No.110　　　　　　自律神経系の働き

　次の文章は，自律神経系の働きについて述べたものであるが，この記述で，ア〜オに当てはまるものの組合せとして妥当なのはどれか。

　交感神経は（　ア　）から出発する末梢神経で，交感神経末端から（　イ　）という神経伝達物質が器官へ放出される。また副交感神経では，（　ウ　）という神経伝達物質が副交感神経末端から器官放出される。2つの神経のうち，一方の神経が抑制するように働くと他方は促進するように働く。交感神経によって心臓の拍動が（　エ　）され，ひとみは（　オ　）する。

	ア	イ	ウ	エ	オ
1	脊　髄	ノルアドレナリン	アセチルコリン	促進	収縮
2	脊　髄	アセチルコリン	ノルアドレナリン	促進	拡大
3	脊　髄	ノルアドレナリン	アセチルコリン	促進	拡大
4	中脳・延髄・仙髄	アセチルコリン	アドレナリン	抑制	収縮
5	中脳・延髄・仙髄	ノルアドレナリン	アドレナリン	抑制	収縮

解答欄

解　説 110

　呼吸や循環のような，意志と無関係に働く神経系を自律神経系という。自律神経系は，**交感神経**と**副交感神経**からなる。**交感神経**は脊髄から，**副交感神経**は**中脳・延髄・仙髄**から出る。両者は互いに一方が器官の働きを促進させると，他方が抑制させるように拮抗的に働く。興奮が伝わってくると，**交感神経**の末端から**ノルアドレナリン**という物質が分泌され，興奮を器官に伝える。**副交感神経**ではこの働きが**アセチルコリン**によって行われる。

　交感神経によって，心臓の拍動は**促進**され，ひとみ（瞳孔）は**拡大**する。しかし，消化器系の働きは**交感神経**では抑制される。いつでも**交感神経**が促進的に働くわけではないことに注意が必要である。

　以上から，正しい組合せは **3** である。

解答　　3

生物

No. **111**　　　　　　　　　**栄養素**　　　　　重要度

　ヒトの生命を保ち，成長に必要な成分を栄養素というが，これらに関する記述として妥当なのはどれか。

1　タンパク質は，α-アミノ酸が結合してできており，体内で合成できるα-アミノ酸を必須アミノ酸という。タンパク質は，筋肉，骨，皮膚などの組織をつくる働きがある。また，タンパク質は，効率の良いエネルギー源でもある。

2　炭水化物には，ブドウ糖，ショ糖，デンプンなどがある。デンプンは，体内でアミラーゼにより分解されてグルコースになる。特定の酵素が特定の基質に働くことを基質特異性という。

3　脂質には，脂肪，リン脂質などがあり，このうち脂肪は，中性脂肪とコレステロールが結合したものである。脂肪の分解酵素はリパーゼである。

4　無機塩類はミネラルと呼ばれ，カルシウム，ナトリウム，亜鉛などがあり，体液の浸透圧の調整や活動電位の発生などに関係した働きをする。このうちカルシウムは，血液凝固に関与する。

5　ビタミンは，わずかな量で各栄養素の働きを促進するもので，ビタミンA不足は脚気，ビタミンB不足は骨粗しょう症を引き起こす。ビタミンは，体内に余分に蓄積されると，栄養素の働きを悪くする。

解答欄

解 説 111

1×　タンパク質を構成するα-アミノ酸は約20種類で，このうち成人では8種類のアミノ酸は**体内で合成する**ことができない。これらを必須アミノ酸という。これらのアミノ酸は食物として体外から取り入れなければならない。

2×　デンプンは**酵素アミラーゼ**により，二糖類のマルトースにまで分解され，その後**酵素マルターゼ**によりグルコースに分解される。酵素が特定の基質に働くことを，基質特異性という。

3×　脂肪は**グリセリン**と**脂肪酸**が結合したものである。酵素リパーゼにより，脂肪は**グリセリン**と**脂肪酸**に分解される。

4○　カルシウムは**血液凝固**に必要であり，また，カルシウムやナトリウムは浸透圧の調整や活動電位の発生に必要である。

5×　ビタミンAが欠乏すると，**夜盲症**になる。また**細菌への抵抗力が低下**する。ビタミンB₁が欠乏すると，**脚気，食欲不振**などが生じる。ビタミンは体内で合成できないため，食物として取り入れなければならない。

解答　**4**

以下の空欄にあてはまる語句を書きなさい。

		○ 正 解 ○
1	植物細胞に特有な構造には，細胞壁や（　　） がある。	**1　葉緑体**
2	細胞の構成要素の一つである（　　）では， ATP が合成される。	**2　ミトコンドリア**
3	核酸には（　　）と（　　）の2種類が存在する。	**3　DNA　RNA**
4	生殖細胞の分裂は（　　）と呼ばれる。	**4　減数分裂**
5	生物が外界から取り入れた物質を，必要な物質 につくりかえる働きを（　　）という。	**5　同化**
6	生物が体内に蓄えた物質を分解し，エネルギー を取り出す過程を（　　）という。	**6　異化**
7	酵素は生体内で触媒作用をする物質であり，特 定の物質（基質）に対してのみ働く。これを（　　） という。	**7　基質特異性**
8	細胞内で有機物を分解し，エネルギーを ATP の 形で取り出す働きを（　　）という。	**8　内呼吸**
9	有機物の分解に酸素を必要とするものを（　　）， 必要としないものを（　　）という。	**9　好気呼吸　嫌気呼吸**
10	好気呼吸の過程は，（　　），（　　），水素伝達 系の3つに大別される。	**10　解糖系　クエン酸回路**
11	光合成で吸収される二酸化炭素と，呼吸で放出 される二酸化炭素がつり合うときの光の強さを （　　）という。	**11　補償点**
12	炭水化物,脂肪,タンパク質に（　　）と（　　） を加えた5種類を五大栄養素という。	**12　ミネラル　ビタミン**

政治
経済
社会情報
日本史
世界史
地理
文学芸術
国語
数学
物理
化学
生物
地学
英語
現代文古文
資料解釈
判断推理空間把握
数的推理

問題	○ 正 解 ○
13　デンプンは酵素（　　）の働きで（　　）に分解される。	13　アミラーゼ　マルトース
14　脂肪は酵素（　　）によって（　　）とグリセリンに分解される。	14　リパーゼ　脂肪酸
15　配偶子によらない生殖を（　　）という。カビなどはその一種である（　　）生殖を行う。	15　無性生殖　胞子
16　植物の受精では2組の受精が同時に起こる。これを（　　）という。	16　重複受精
17　動物の細胞が受精後しばらくは，成長せずに分裂を繰り返す。これを（　　）という。	17　卵割
18　メンデルの遺伝の法則は，（　　），（　　），独立の法則の3つを指す。	18　優性の法則　分離の法則
19　性染色体にある遺伝子によって生じる遺伝を（　　）という。	19　伴性遺伝
20　遺伝情報を収めたDNAは（　　）構造をしている。	20　二重らせん
21　網膜にある（　　）細胞は色の区別を行い，（　　）細胞は光に対する感度が強く，暗い所でよく働く。	21　錐体　桿体
22　脳の各部位の中で，（　　）は，運動，感覚，思考，記憶などを制御し，（　　）では，自律神経を制御する。	22　大脳　間脳
23　末梢神経系には体性神経系と（　　）がある。	23　自律神経系
24　自律神経系の（　　）は，心拍数をあげたり，ひとみを拡大する働きがある。	24　交感神経

25　交感神経末端から分泌される物質は（　　）であり, 副交感神経末端から分泌される物質が（　　）である。

25 ノルアドレナリン
アセチルコリン

26　生物体の恒常性を維持するのに重要な役割を果たすものが（　　）である。

26 ホルモン

27　高血糖が間脳の視床下部で感知されると,（　　）神経を経て, すい臓から（　　）が分泌される。

27 副交感　インスリン

28　（　　）は生物ホルモンの一種で, 光の影響を受ける。細胞の伸長を促進する作用を持つ。

28 オーキシン

29　生物間の食う食われるの関係を（　　）という。

29 食物連鎖

30　高次の消費者ほど, 体内において残留性の農薬などが高濃度になる。これを（　　）という。

30 生物濃縮

31　（　　）の働きには, 血糖値の調節や胆汁の生成, 体温維持などがある。

31 肝臓

32　（　　）では, 老廃物の排出, ろ過が行われる。

32 腎臓

33　血液は 4 つの主要な成分からできている。そのうち血液凝固に関係が深いのは（　　）である。

33 血小板

34　神経組織を構成する細胞を（　　）といい, 樹状突起, 軸索, 神経細胞体からなる。

34 ニューロン

35　細菌類とラン藻類は, DNA を持つが核を包む核膜がない。このような細胞を（　　）という。

35 原核細胞

36　膜に包まれた核を持つ細胞を（　　）という。

36 真核細胞

地学

知識分野

地球と太陽の働き

重要度

次のA～Dのうち，太陽と地球の働きに関する記述として妥当なもののみを挙げているのはどれか。

A　地球から太陽までの距離は1年を通して変わらない。

B　赤道上で，太陽が天頂に最も近づくのは，春分の日と秋分の日である。

C　東京（北緯35°）において，春分の日の太陽の南中高度は55°である。

D　太陽が移動する経路を天の赤道といい，地球の赤道面に対して23.4°傾いている。

1　A，C

2　A，D

3　B，C

4　B，D

5　C，D

解答欄

解 説 112

A×　地球は太陽を一つの焦点とする楕円軌道上を移動しており，1年の間に太陽と地球の**距離は変化**する。

B○　観測者の頭上で天球と交わる点を**天頂**という。春分の日と秋分の日の太陽は天の赤道上に位置するため，赤道上では南中時，**太陽は天頂**に来る。

C○　春分の日には，黄道と天の赤道が重なる位置に太陽があるので，南中高度は**90°－35°＝55°**になる。春分・秋分の日の太陽の南中高度は（**90°－緯度**）で求められる。北半球では夏至の日の南中高度は（90°－（緯度－23.4°））であり，冬至の日は（90°－（緯度＋23.4°））になる。

D×　太陽の移動する経路を**黄道**という。**黄道**は天の**赤道**に対して23.4°傾いている。

解答　　3

地 学

No.113

地形にかかわる現象

 重要度

地形または地形がもたらす現象に関する記述として間違っているのはどれか。

1 海岸では波によって浸食が進むことにより，海食崖と崖の下に海食台が形成される。

2 地層の変形は，褶曲（しゅうきょく）と断層に大別される。褶曲は横から引張る力が作用し地層が変形する現象で，断層は上下方向に地層に圧縮力が加わり地層が切れて生ずる現象である。

3 河川が山地から平野に出るところでは，傾斜がゆるやかになり河川の幅が広くなるため，扇状地を形成する。

4 火山の形には，盾状火山，円錐火山（成層火山），カルデラ火山などがある。そのうち，盾状火山は，流動性に富む溶岩流が流出して形成された玄武岩質の火山である。

5 石灰石が分布する地域では，地下水や雨水が岩石を溶解・浸食し，鍾乳洞や窪地など独特の地形を形成しており，この地形はカルスト地形と呼ばれる。

解答欄

解 説 113

1○ 波による浸食は，水面付近で最も強い。そのため海食崖の下には，**海食台**が形成される。

2× 地層に**横方向からの圧力**が長時間加わって，波上に屈曲したものを**褶曲**という。断層は張力によって上盤側がずれ落ちる**正断層**と，圧力によって上盤側がずれ上がる**逆断層**，横方向にずれる**横ずれ断層**がある。

3○ 河川水の砂礫の運搬能力は，流速の6乗に比例する。このため山地から平野に出るところでは流速が減少し，**扇状の堆積地形**が形成される。

4○ 玄武岩の多い火山は**流動性が大きく**，噴火は穏やかである。

5○ 石灰石などの水に溶けやすい岩石からできた地層では，浸食を受けて**鍾乳洞**や**ドリーネ**と呼ばれる**窪地**が生じる。これらの地形を**カルスト地形**という。

解答 2

大気圏

重要度

A～Dは地球の大気圏に関する記述であるが，気圏の名前と記述の内容が妥当なのはどれか。

A　対流圏：この気層には，オゾンの濃度が高い層があり，オゾンが紫外線を吸収して大気を暖めるため，上部ほど気温が上昇する。

B　中間圏：この気層では，主に酸素原子が紫外線を吸収して気層を暖めており，非常に温度が高い。また，極域では，大気の発光現象であるオーロラが現れる。

C　成層圏：この気層では，オゾン層が薄くなるので紫外線を吸収しなくなり，上部ほど気温が低下する。

D　熱　圏：この気層では，雲が発生して，高度とともに気温がほぼ一定の割合で低下し，その割合は，100mにつき平均約0.6℃となっている。

E　外気圏：主に水素やヘリウム等の軽い原子で構成され，熱圏の外側に位置する。

1　A

2　B

3　C

4　D

5　E

解答欄

解 説 114

A×　対流圏は地表から上空10km付近までの範囲を指し，空気の対流が生じ気象現象が起こる場所である。**オゾン層は成層圏**にある。

B×　50～80km付近を中間圏という。中間圏の上層部付近が気圏の中で**最低の気温**になる。説明文は**熱圏**の説明である。

C×　成層圏の下層部では，**気温はほぼ一定**である。30km付近から急に気温は高くなる。**C**の説明は**中間圏**に関するものである。

D×　**対流圏**に関する説明である。

E○　**外気圏**に関する説明である。

　気圏は地表に近い順に，**対流圏**（0～10数km），**成層圏**（10数km～50km），**中間圏**（50～80km），**熱圏**（80～約500km）に区分される。

解答　5

地学

恒星の明るさの等級

 重要度

表は，恒星 A〜D の明るさに関し，見かけの等級と絶対等級を示したものである。これらの恒星を，地球に近い星から遠い星へ，順次並べたものとして最も妥当なのはどれか。

ただし絶対等級とは，恒星が 32.6 光年の距離にあったとして仮定した場合の明るさで表したものである。

恒星	見かけの等級	絶対等級
A	3.0	4.0
B	3.0	3.0
C	4.0	3.0
D	4.0	2.0

1 A → B → C → D

2 A → B → D → C

3 D → B → C → A

4 D → C → A → B

5 D → C → B → A

解答欄

解 説 115

絶対等級が同じであれば，見かけの等級が明るいほど**地球に近い**星である。逆に，見かけの等級が同じであれば，絶対等級が明るいほど**地球から遠い**星である。等級は数値が大きくなるほど暗くなる。

A と B を比較すると，見かけの等級は等しいが，絶対等級が B のほうが明るいので，B のほうが地球から遠い（A < B）。同様に C と D では D のほうが遠い星である（C < D）。また，B と C では絶対等級は同じだが，見かけの等級が B のほうが明るいので B のほうが地球から近くにある（B < C）。よって地球からの距離は，**A < B < C < D** の順になり，正解は **A → B → C → D** の **1** である。

解答　1

政治
経済
社会情報
日本史
世界史
地理
文学芸術
国語
数学
物理
化学
生物
地学
英語
現代文古文
資料解釈
判断推理空間把握
数的推理

No. 116　惑星の特徴 　重要度

太陽系の惑星に適合する星の組合せとして妥当なのはどれか。

A　この星は，二酸化炭素を主成分とする厚い大気に覆われ，強い温室効果により，表面温度は 400℃以上に達する。

B　外惑星の一つで極冠や凍土として水が存在する。かつては温暖で水が表面を流れていたことが河床地形からうかがえる。

C　この星の大気は水素とヘリウムを主成分とし，大赤斑と呼ばれる巨大な大気の渦をつくり出している。惑星探査機により環の存在が確認されている。

	A	B	C
1	水星	金星	土星
2	水星	金星	木星
3	水星	火星	土星
4	金星	火星	木星
5	金星	土星	木星

解答欄

解説 116

A　**金星**に関する記述である。**金星**の大気は 97％が二酸化炭素で，強烈な温室効果により地表の温度は 470℃に達する。このため，水が存在しない。また**金星**は硫酸の雲に覆われ，地球から表面を見ることはできない。

B　**火星**に関する記述である。**火星**の大気中の塵や地表の岩石には，酸化鉄が多く含まれるので，**火星**は赤く見える。

C　**木星**に関する記述である。**木星**は太陽系の最大の惑星で，大部分が水素とヘリウムからできている。**木星**の表面に見られる赤色の楕円形を大赤斑といい，これが移動していることから，**木星**が自転していることがわかる。

以上から，正しい組合せは **4** である。

解答　**4**

地学

No. 117　　　　　　**ケプラーの法則**　　 重要度 A

　ケプラーが発見した惑星の運動に関する法則の記述として妥当なもののみをすべて挙げているのはどれか。

A　惑星は太陽を一つの焦点とする楕円軌道を持つ。

B　惑星の面積速度は常に一定であり，太陽と惑星を結ぶ動径は，単位時間に等しい面積を描くように動く。

C　惑星と太陽との平均距離の2乗と惑星の公転周期の3乗との比は，どの惑星についても一定である。

1　A

2　B

3　C

4　A，B

5　A，C

解答欄

解 説 117

A ○　ケプラーの第一法則は，**楕円軌道の法則**と呼ばれる。

B ○　ケプラーの第二法則は，**面積速度一定の法則**と呼ばれる。惑星の公転は，太陽から惑星に引いた動径が，単位時間に等しい面積を描くように動く。

C ×　ケプラーの第三法則は**調和の法則**と呼ばれ，惑星と太陽の平均距離の3乗と惑星の公転周期の2乗との比は，どの惑星でも一定であるというものである。

解答　4

➕プラス知識

ケプラーの法則

　ケプラーは，チコ・ブラーエの天文観測のデータを用いて，これらの三法則を導き出した。ケプラーの法則は彼の死後，ニュートンによって証明された。

　ニュートンは，太陽と惑星間に働く力（万有引力）は，惑星と太陽の質量の積に比例し，その間の距離の2乗に反比例することを導き出した。

地 学

No.118　　　　　　　　　**前線と天気**　　　　　　重要度

　図は日本付近におけるある日の地
上天気図を表しているが，これにつ
いての次の記述の空欄ア，イ，ウ，
エに当てはまる語句の組合せとして
最も妥当なのはどれか。

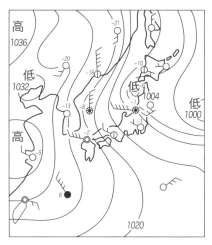

　大陸の（　ア　）が張り出し，東海上に低気圧が位置し等圧線が南北に密集
して走る。このため（　イ　）の風が強く吹き，日本海側は（　ウ　），太平洋
側は（　エ　）になる。

	ア	イ	ウ	エ
1	オホーツク海高気圧	北東	大雪や雨	曇り
2	揚子江高気圧	北東	晴れ	むし暑い気候
3	シベリア高気圧	北東	晴れ	雪
4	揚子江高気圧	北西	大雪や雨	晴れ
5	シベリア高気圧	北西	大雪や雨	晴れて乾燥した気候

解答欄

解 説 118

　図の天気図の特徴は，東方海上に低気圧が位置し，**大陸の高気圧**が張り出し
た**西高東低の冬型**の気圧配置で，これは典型的な例である。この時，日本海側
では**大雪**が降りやすく，太平洋側では**晴れて乾燥した気候**になる。
　等圧線は南北に走り，その間隔も狭く，**北西**の風が吹く。気象衛星の画面では，
大陸付近からの筋状の雲が観察される。
　以上から，正しい組合せは**5**である。

解答　　5

地学

No.119　　　　　　　　**生物の進化**　　　Ⓐ 重要度

次は，生物の進化に関する記述であるが，A ～ D に当てはまるものの組合せとして最も妥当なのはどれか。

各地質時代には，その時代に特有な化石が見られる。このような化石を（　A　）という。古生代の前期の（　A　）には（　B　）などがあり，中生代では（　C　）がある。中生代にはイチョウやソテツなどの（　D　）植物が繁栄した。

	A	B	C	D
1	示相化石	アンモナイト	三葉虫	シダ類
2	示相化石	オウムガイ	アンモナイト	被子
3	示相化石	三葉虫	オウムガイ	裸子
4	示準化石	オウムガイ	アンモナイト	裸子
5	示準化石	アンモナイト	オウムガイ	被子

解答欄

解 説 119

特定の時代の地層だけから見つかる化石を**示準化石**といい，地層の年代を決定するのに利用される。限られた環境だけに生息していた生物の化石は**示相化石**と呼ばれ，その時代の環境を推定するのに役立つ。

示準化石では，古生代の**三葉虫**や**オウムガイ**，中生代の**アンモナイト**などが有名である。恐竜類は中生代の，ナウマン象は新生代第四紀の示準化石となっている。植物は古生代の後期には**シダ類**が繁栄し，中生代には**裸子植物**が栄えた。動物では古生代には魚類が，続いて両生類が栄え，中生代にはハ虫類が繁栄し，新生代はホ乳類の時代になった。

以上から，正しい組合せは **4** である。

解答　　4

政治 経済 社会情報 日本史 世界史 地理 文学芸術 国語 数学 物理 化学 生物 地学 英語 現代文古文 資料解釈 判断推理空間把握 数的推理

以下の空欄にあてはまる語句を書きなさい。

○ 正 解 ○

1　地球は北極の上空から見て（　　）回りの方向に自転している。

1　左

2　（　　）の振り子の振動面が回転して見えるのは、地球が自転しているためである。

2　フーコー

3　地球が公転するため観測点が変化し、恒星が異なった位置に見える。これが恒星の（　　）が生じる原因である。

3　年周視差

4　地軸は黄道面の垂線に対して（　　）°傾いている。

4　23.4

5　太陽の表面の黒い部分を（　　）という。

5　黒点

6　太陽の大気は彩層と（　　）からできている。

6　コロナ

7　太陽系の惑星で二酸化炭素に覆われているものは（　　）である。

7　金星

8　太陽系の外惑星で、自転周期が地球に近く、かつて地表に水が流れていたものは（　　）である。

8　火星

9　地球の内部は層状の構造になっており、地表面から（　　）、（　　）、（　　）に区分される。

9　地殻　マントル　核

10　地震波には（　　）と（　　）がある。前者が縦波であり、後者が横波である。

10　P波　S波

11　地震波のうち、液体部分を伝わらないのは（　　）波である。

11　S

12　地殻はいくつかのプレートに分かれており、（　　）プレートは（　　）プレートの下に沈み込む。

12　海洋　大陸

右側メニュー: 政治 経済 社会情報 日本史 世界史 地理 文学芸術 国語 数学 物理 化学 生物 地学 英語 現代文古文 資料解釈 判断推理空間把握 数的推理

○ 正 解 ○

13　富士山のような大きな円錐型の火山を（　　）という。
13 成層火山（コニーデ）

14　火山によってできた凹型の地形を（　　）という。
14 カルデラ

15　マグマが冷えてできた岩石が（　　）で，このうちマグマが急激に冷えて固まったものを（　　）という。
15 火成岩　火山岩

16　マグマが地下の深いところでゆっくり冷えてできた岩石を（　　）という。
16 深成岩

17　16の岩石では，鉱物の大きさが均一な（　　）をもつことが特徴である。
17 等粒状組織

18　地層に引力が働き，断層面に対し上層がずれ落ちたものを（　　），圧力で上層がずれ上がったものが（　　）。
18 正断層　逆断層

19　地層が長時間にわたって圧力を受けたため，波状に曲がったものを（　　）という。
19 褶曲

20　熱や圧力で変化した岩石を（　　）という。このうちマグマの貫入で，熱によって変化したものが（　　）。
20 変成岩　接触変成岩

21　河川の上流で浸食作用により形成される地が（　　）。下流で蛇行した川の付近に見られる湖を（　　）という。
21 Ｖ字谷　三日月湖

22　河川が山地から平野に出た付近で見られる，堆積作用による地形を（　　）という。
22 扇状地

23　河川が海や湖の河口付近で，堆積によって形成する地形を（　　）という。
23 三角州

24 海岸付近で波による浸食によって（　　）が形成され，その下には台地状の（　　）ができる。

25 石灰岩を多く含む地域では，石灰岩が空気中の（　　）を含む雨水に溶かされて，（　　）地形ができる。

26 地層が隆起し風化浸食を受け，再び沈降しその上に新たな地層が堆積すると,この地層間に（　　）が生じる。

27 堆積岩は粒の大きさで分類される。粒の小さいものから（　　）,（　　）,（　　）と呼ばれる。

28 特定の地質時代にのみ見られる化石を（　　）といい，年代を決定するのに役立つ。

29 限定された環境だけに生息していた生物の化石を（　　）といい，当時の環境が推定できる。

30 日本列島を東西に分ける構造線を（　　）という。

31 大気はいくつかの気圏に分けられる。地表から順に（　　）,（　　）,（　　）,（　　）,外気圏と呼ばれる。

32 地球の緯度によって太陽の放射エネルギーは過不足を生じる。そのため（　　）や大気の流れが生じる。

33 地球の自転により，北半球では風向きが右側に変化する。このとき受ける力を（　　）もしくは（　　）という。

○ 正　解 ○

24 海食崖　海食台

25 二酸化炭素　カルスト

26 不整合

27 泥岩　砂岩　礫岩

28 示準化石

29 示相化石

30 糸魚川静岡構造線

31 対流圏　成層圏　中間圏　熱圏

32 海流

33 転向力　コリオリの力

英語

知能分野

次の文の内容と合致するものとして最も妥当なのはどれか。

Just before I became a teenager, I traveled by myself to Washington D.C. In that euphoric state one feels being young and out exploring the world alone, I struck up a conversation at the airport with a woman visiting the U.S. from Thailand. We shared a taxi into the city together, and en route, I noticed she was wearing a lovely bracelet in silver. The piece was Nielloware, intricately engraved with dancers and elephants on a black background, made by her mother. She took the jewelry off and showed it to me. I admired the craftsmanship profusely, and in doing so, started an unexpected chain reaction.

When the taxi stopped to let the Thai woman out at a busy intersection, she flung the door shut behind her, taking off without the bracelet. I immediately rolled down the window and called out that she'd forgotten her mother's gift. "I want you to have it," she called back, and before I could protest, she melted into the crowd.

（中略）

Later, my parents explained to me that in some cultures, if you admire a person's possession, that person might feel compelled, perhaps spiritually, to give it to you. A wave of guilt rushed through me. Nonetheless, I learned that an action viewed as polite or merely conversational in my culture, such as praising someone's belongings, could have unexpected ramifications in another. I also dimly understood that one could relinquish a cherished object into the hands of an unknown person, and shift the world slightly in a positive way. That day, I went from a child's perspective of "stranger = danger" to a new idea: "stranger = changer."

出典：Kit Pancoast Nagamura,「Adding value to tangible commodities」（ジャパンタイムズ「週刊 ST」Feb.19.2010)

1 タイ人女性はネックレスをはずして私に見せてくれた。そこで，私は細工のすばらしさをほめちぎった。

2 その日以来，「見知らぬ人は危険な人」という考えを改めて，「見知らぬ人は私を変えてくれる人」と思うようになった。

3 タイ人女性はタクシーを降りるとき，私に大切なブレスレットをあげると言ってくれた。

4 あとで両親が説明してくれたことだが，文化によっては，人の物がほしくて，無理にほめることがあるそうだ。

5 ティーンエージャーになってすぐ，私は一人で首都ワシントンに行ってそこで数週間を過ごした。

解答欄

解 説 120

1 × 第1段落，第5文の the jewelry は **a lovely bracelet** のこと。定冠詞の付いた名詞は文脈から特定できることを表す it, this, that と同様に指示内容を探す習慣をつけよう。

2 ○ 第3段落，第5文と一致している。体験から筆者が学んだことを述べている。**この文の主題**と言ってもよい。具体的な事例と筆者の主張，考え，感想を読み分けよう。

3 × 第2段落，第1文で，「ブレスレットを持たずに降りた」と書いてある。本文のような経験を述べている物語文では，人物関係，人物紹介，出来事の推移，場面展開などに注意しよう。

4 × 第3段落，第1文で近いことは述べているが，これはほめられた側の人が感じる心情であって，**ほめる側の下心ではない**。出来事の展開と登場人物の様子，心の動きを区別して読もう。形容詞や副詞にも細かく配慮しよう。

5 × 第1段落，第1文で **Just before** と述べている。ときを表す副詞（句や節）や動詞の時制に注意する。物語文は出来事の展開を時系列で読むようにしよう。

解答　2

〔全訳〕

　ティーンエージャーになる直前，私は一人で首都ワシントンを旅した。一人旅の高揚感の中で，人は若い気分になり，「探検」に出かけたくなる。空港でタイからアメリカに来た女性に話しかけた。タクシーに同乗して街に行く途中，私は彼女が美しい銀のブレスレットをつけているのに気づいた。それはニエロで，黒地に踊り子と象が精巧に彫られており，彼女のお母さんが作ったものだった。彼女はそれをはずして私に見せてくれた。私はその細工のすばらしさをほめちぎった。そうしているときに，思いもよらぬ連鎖反応を引き起こしてしまった。

　タクシーがタイ人女性を降ろすために止まると，彼女は車を降りて，ドアーを勢いよくバタンと閉め，ブレスレットをつけずに降りてしまった。私はすぐに窓を開けて，ブレスレットを忘れたことを大声で告げた。すると「とっておいて」と言って，私が断る間もなく人込みに消えてしまった。

　（中略）

　後になって両親が説明してくれたことだが，文化によっては，人の持ち物をほめると，ほめられた人は，ひょっとすると宗教上の理由かもしれないが，それをあげなくてはならない気になるということだ。私は罪の意識を感じた。それでも，私の文化では，例えば，人の物をほめるような礼儀とか社交辞令と考えられている行為が，文化が違うと思わぬ結果を生むことを学んだ。さらに，見知らぬ人に大切な物をあげることでわずかに人間関係を変えることが出来ることもなんとなくわかった。あの日から，「見知らぬ人は危険」という子供のときの考えが，「見知らぬ人は私を変えてくれる人」に変わった。

〔語句〕

　euphoric とてもわくわくする，struck…conversation 言葉を交わし始めた，en route 途中で，Nielloware ニエロ（銅を主とする金属を使い，黒地に金や白の模様を入れて制作するタイの伝統的な装身具），intricately engraved with 〜 〜が精密に彫られた，profusely たっぷりと，relinquish 〜を手放す

No. 121　　　　　　　　　文章理解（2）　　　　　　　　

次の文の内容と合致するものとして最も妥当なのはどれか。

Urban environmentalists often decry the poverty of sight in cities, the sullying of the visual aesthetic that comes with poor urban planning. But what about the poverty of some sounds and the excess of others? I am frankly more unnerved by the disappearance of the sounds of frogs and songbirds than I am with the disappearance of a stand of trees. What does it mean to hear changes in a landscape?

Summer can be a melodious time of year in the Japanese countryside. The sounds of frogs, cicada and crickets are audible cues to the beginning and end of my least favorite season in Japan. However, Japan's soundscape is as uneven as its urban landscape. You are likely to sense this seasonal sound change in rural Niigata. But does this seasonal change bring a change in sounds that we hear in the middle of Tokyo?

It seems to me human beings have largely managed to alienate this seasonal change in the soundscape of much of Japan. City soundscapes are made up of sounds human, mechanized and electronic. These sounds roar in some areas and whisper in others. The station areas around Shibuya and Shinjuku certainly get hotter in the summer and cooler in the winter, but do their soundscapes noticeably change with the seasons? The sounds of crows are always with us. So is the constant sound of cars, train signals and the recycling truck. When was the last time you heard the sound of a frog croaking near Akihabara?

Just as the visible landscape of Tokyo has changed dramatically since the mid-1960s, humans have also altered the way the landscape sounds.

Historians of landscape and the environment are generally pretty good about being open to reading things that we can see, and even things that are not visible to the naked eye, but maybe there is the need to open up to thinking about how where we live talks to us through our other senses.

出典：Colin Tyner（The Japan Times Weekly: June 26, 2010）

1 渋谷や新宿の駅周辺は，都心であるためにカラスの声などはまったく聞こえなくなった。

2 田舎の夏といったら，カエルや蝉，こおろぎの鳴き声で季節の変化を感じ取ることができる。

3 風景の変化を歴史的に調べている人は，視覚的な変化を本に著し，好評を得ている。

4 筆者は街から生きものの鳴き声が消えたことより，緑が消えたことが気になっている。

5 季節の変化に伴う，身の回りで聞こえる音の変化に人は今でも敏感である。

解答欄 [　　　　]

解 説 121

1 × 第3段落，第5文と一致しない。always や constant から季節に関係なくいつもカラスの声が聞こえていることがわかる。肯定，否定の微妙な表現にも注意を払おう。

2 ○ 第2段落，第1，2文と一致している。助動詞 can，audible は次の However と呼応して**譲歩**を表す。あることを現実の事として，あるいは，仮定仮想の事として認めて，その後ろで主張，意見を続けることが非常に多い。

3 × 第5段落，第1文と一致しない。reading を前にたどっていくと，行為者が文の主語と同じだから**本を著していない**ことがわかる。不定詞，分詞，動名詞は行為者を考えるようにしよう。

4 × 第1段落，第3文と一致しない。比較の意味が**本文と反対**である。比較は表現が豊富であるが，何と何をどのようなことで比べているかに常に注意を向けよう。

5 × 第3段落，第1文と一致しない。全文の主張は，開発のために生きものの声が身の回りから消えていってしまっているというもの。木を見て森を見ず，にならないように中心テーマを見失わないこと。

解答 2

〔全訳〕

　都市環境の保護を訴える人たちは，都市計画のまずさのために都市の景色がつまらないものになり，目に見える美しさが損なわれてしまった，と公然と述べている。しかし，ある音が聞かれなくなり，ある音が過剰になったことはどうだろう。はっきり言って，私は，木々が消えたことよりカエルや鳥の声が消えたことがずっと心配である。音の風景が変わったとはどういうことなのか。

　日本の田舎では，夏は生きものの鳴き声が豊かに聞かれる時期である。カエルや蝉，こおろぎの鳴き声は，私が最も嫌いな夏の始まりと終わりを告げる。ところが，日本の音の風景は都会の景観と同じくらい調和を欠いたものになっている。おそらく，新潟の田舎でもこのような季節の音の変化を感じ取るだろう。だが，東京の中心でもこのような音の変化は起きているのか。

　日本の多くの地域で，人は季節の変化がもたらす音の変化に鈍感になってしまっているように私には思われる。都会の音は人工的な音，機械音，電子音である。こうした音が，あるところでは吠えるように響きわたり，あるところではささやくように耳に入ってくる。たしかに，渋谷や新宿の駅周辺は，夏はより暑くなり，冬はより寒くなるが，音の風景も季節によってはっきりと変わるのか。カラスの声はいつも聞こえている。車の音，電車のシグナル，リサイクルトラックの音も常に私たちの周りにある。秋葉原の近くで最後にカエルの鳴き声を聞いたのはいつのことだったか。

　60年代の半ばから，東京の景色は劇的に変わった。同様に，人間は，音の風景をすっかり変えてしまった。

　景色と環境を歴史的に調べてきた人たちは，見えるもの，裸眼では見えないものを記録することでは，全般的に，かなりのことをしているが，おそらく，環境が私たちに語りかけていることを視覚以外の感覚によって考える必要があるだろう。

〔語句〕

　decry 公然と非難する，sully よさを損なわせる

次の文の（ア）～（オ）に入る適語の正しい組合せを1～5から選べ。語句はすべて小文字にしてある。

National borders have no meaning for the atmosphere. This was demonstrated to the world by the Chernobyl nuclear plant disaster and again by the eruption of Mt. Pinatubo. Whatever enters the atmosphere in one country soon travels around the world. (　ア　), scientists are now worried about the global effects of air pollution. Research shows, (　イ　), that the earth's atmosphere is changing in ways that could be destructive to life. Pollution could be a major cause of this.

One of the pollutants that is causing the greatest concern is carbon dioxide. It is released into the air when coal or petroleum is burned. Carbon dioxide has always been a part of our atmosphere, the product of certain natural processes. (　ウ　), in recent decades, the amount of carbon dioxide in the atmosphere has greatly increased. This is the result of an enormous increase in the amount of coal and petroleum burned for fuel.

(　エ　), the earth's ability to absorb carbon dioxide has greatly decreased. Absorption of carbon dioxide occurs mainly in areas of thick forest. Those areas are rapidly disappearing as more and more forests are cut down.

The result of the increase of carbon dioxide in the atmosphere is the so-called "greenhouse effect". The carbon dioxide acts like a glass screen, making the sun's heat more intense. There are already signs of global warming, say many scientists. Over the next century, average temperatures could rise by as much as four degrees centigrade. Such a temperature change could be disastrous. Vast areas, such as the whole central United States, could become too hot and dry for agriculture. Because of the melting of polar ice, the water level of the oceans would rise and many low coastal areas would disappear. (　オ　), large parts of the Netherlands, Bangladesh, and the state of Florida would be under water.

出典：林功,『アメリカの中学教科書で英語を学ぶ』(ベレ出版)

	ア	イ	ウ	エ	オ
1	and so	at the same time	in fact	however	for example
2	however	in fact	at the same time	for example	and so
3	and so	in fact	however	for example	at the same time
4	and so	in fact	however	at the same time	for example
5	however	for example	and so	in fact	at the same time

解答欄

解説 122

ア　前文で「ある国の大気中に入ったものはどんなものでも，やがて世界中に広がって行く」と述べていて，後文で「今や科学者は大気汚染の世界的な影響を心配している」と述べている。**前文が原因・理由で後文が結果**を表している。そこで，因果関係を表す **and so** が入る。

イ　前文の the global effects of air pollution の具体例を調査が示している，とこの文が表している。そこで，「**事実**」「**実際**」の意味を表す **in fact** が入る。

ウ　前文で「二酸化炭素は自然にできるものである」と述べている。でも「ここ数十年間に大気中の二酸化炭素の量が石炭やガソリンの燃焼で増えている」と後文で述べている。そこで，**逆接・対比**を表す **however** が入る。

エ　前の段落で「人為的に二酸化炭素の量が増えてきている」と述べている。そして（エ）の後で「地球が二酸化炭素を吸収する能力が非常に下がっている」と述べている。そこで，「**同時に，にもかかわらず**」を表す **at the same time** が入る。

オ　前文で「多くの沿岸の低い土地が消失するだろう」と述べていて，オランダ，バングラディッシュ，フロリダ州が具体例になっている。そこで**具体例**を挙げる **for example** が入る。

以上から，正しい組合せは **4** である。

解答　4

〔全訳〕
　大気にとって国境は何の意味もない。このことはチェルノブイリの原発事故，さらに，ピナツボ火山の噴火によって世界中の人々に証明された。一国の大気中に排出されたものは何でも，やがて，世界中に広がっていく。（ア，だから），科学者は今，大気汚染の世界的影響を心配している。（イ，実際），調査によって地球の大気は，生命を絶滅させかねない方向へ変化していることがわかっている。この主要な原因は汚染であろう。

　最大の心配の種は二酸化炭素である。二酸化炭素は，石炭や石油を燃やしたとき，大気中に放出される。二酸化炭素はある種の自然作用の産物として常に私たちの大気の一部となっている。（ウ，しかしながら），ここ数十年間に，大気中の二酸化炭素は大幅に増大した。これは燃料として燃やされる石炭や石油の量が激増した結果である。

　（エ，同時に），地球が二酸化炭素を吸収する能力は大幅に減っている。二酸化炭素の吸収は，主に，樹木が密生している森林で行われている。こうした地域は，ますます多くの森林が伐採されるにつれて，急速に消えていっている。

　大気中の二酸化炭素が増えた結果がいわゆる「温室効果」である。二酸化炭素がガラスのスクリーンのように作用して，太陽熱はより強烈になる。すでに地球温暖化の兆候がこの時点で現れていると語る科学者は多い。次の100年で平均気温は摂氏4度も上昇する可能性がある。このような気温の変化は悲惨な結果を招くだろう。例えば，アメリカの中央部のような広大な地域で気温が上がりすぎ，乾燥が限度を超して，農業に適さなくなる。極地方の氷が解けて，海面が上昇し，海岸線の低い土地が消失してしまうだろう。（オ，例えば），オランダの大部分，バングラディッシュ，フロリダ州などは水没してしまうだろう。

▲知能分野

英　語

政治
経済
社会情報
日本史
世界史
地理
文学芸術
国語
数学
物理
化学
生物
地学
英語
現代文古文
資料解釈
判断推理
空間把握
数的推理

□次の各英文の説明を表す英単語を書きなさい。

○ 正　解 ○

1　a way of broadcasting pictures and sounds in the form of program that people can watch

1　**television**

2　a physical activity in which people compete against each other

2　**sport**

3　an animal such as a cat or a dog which you keep and look after at home

3　**pet**

4　the arrangement of sounds made by instruments or voices in a way that is pleasant or exciting

4　**music**

5　a small round flat object on your shirt, coat,etc which you pass through a hole to fasten it

5　**button**

6　something that is made to be exactly like another thing

6　**copy**

7　a light shoe that is fastened onto your foot by leather bands and worn in warm weather

7　**sandal**

8　a large narrow piece of cloth used to tie things or as a decoration

8　**ribbon**

9　a large printed notice, picture, or photograph, used to advertise something

9　**poster**

10　a piece of special flat glass that you can look at and see yourself in

10　**mirror**

11　the room where you prepare and cook food

11　**kitchen**

12　the liquid that comes from fruit and vegetables

12　**juice**

□次のカタカナ語を英語で表現する場合，正しいものを下記の①～⑳の中から選びなさい。

1	キャッチボール	2	ガソリンスタンド
3	レベルアップ	4	スキンシップ
5	スピードダウン	6	フロントガラス
7	アンバランス	8	カンニング
9	ケース・バイ・ケース	10	スマート
11	ナイーブ	12	バイキング
13	ピックアップ	14	アトリエ
15	クーラー	16	メリット
17	アンケート	18	ギブス
19	ピエロ	20	コンセント

①	slim	②	cheating
③	studio	④	questionnaire
⑤	improve	⑥	innocent
⑦	slow down	⑧	plaster
⑨	physical contact	⑩	imbalance
⑪	it depends	⑫	clown
⑬	gas station	⑭	plug
⑮	windshield	⑯	buffet
⑰	choose	⑱	air conditioner
⑲	advantage	⑳	play catch

〇 正 解 〇

1　⑳
2　⑬
3　⑤
4　⑨
5　⑦
6　⑮
7　⑩
8　②
9　⑪
10　①
11　⑥
12　⑯
13　⑰
14　③
15　⑱
16　⑲
17　④
18　⑧
19　⑫
20　⑭

現代文
古文

◢◣ 知能分野

次の文の内容と合致するものとして最も妥当なのはどれか。

　最近，私は二〇代の青年たちと同宿する機会があり，ひとつ驚いたことがある。それは，宿の浴衣を着たときに彼らが，帯をみずおちのあたりに巻いていたことである。みずおちとは，胸と腹の間の少しへこんだ部分のことであり，かつての日本でいえば，そのようなへそより上の位置の帯の締め方は，男子では子どもの締め方である。体格のいい青年が，子どもの帯位置で帯を締めていることに対して何の疑問も抱いていないのは，不思議な光景であった。

　これは，たとえば着物のたたみ方を知っているかどうかなどということとは少々次元の異なる問題である。仕きたりや作法や生活上の細かな段どりは，時代によって移り変わるものである。それを知らない若者があらわれたとしても，別段驚くほどのことはない。しかし，帯を締める位置は，身体感覚に直接関わる問題である。腰と下腹を結ぶようにきゅっと締めたときの落ち着いた充実感は，みずおちあたりに巻いては得ることができない。帯の位置が上にずれたことは，腰肚の感覚が衰退したことを意味している。

　しかも，子どもから大人に変わるときに帯の位置が下にさがるという風習が忘れられていることも，意外に重大な変化である。大人への境界線の越え方はさまざまにある。その中でも，子どもから大人への通過儀礼の中心として身体的な修業が課せられることは，かつては多くの社会で見られたことであった。近代化にともなって，身体的な鍛錬をともなう明確な通過儀礼は減少してきた。帯の位置は，子どもから大人へのたんなる記号的な変化ではない。大人になればネクタイを締めるといった次元とは異なり，帯の位置には，大人としてもとめられる身心の感覚がこめられているのである。

出典：齋藤孝，『身体感覚を取り戻す　腰・ハラ文化の再生』（NHKブックス）

1　この文の作者は，二〇代の青年たちが浴衣の帯の正しい締め方を習っていないことに，少なからぬ驚きを覚えた。

2　帯をみずおちに締めていても何とも思わない青年が増えたことは，身体の感覚が衰弱していることを示している。

3　着物の作法は時代によって変わるものであるから，帯の締め方を知らない若者が現れたとしても仕方のない面がある。

4　その青年が二〇歳以上かどうか区別できるように，かつての風習では帯を締める位置を年齢によって変えていた。

5　身体的な鍛錬をともなう通過儀礼は，社会が近代化するにつれて意味を失ったので，現代では減少してきている。

解答欄

解説 123

　本文の作者は，二〇歳代の青年たちが，みずおちに帯を締めていながら違和感を感じずにいることに，身体感覚が変化してしまったのではないかと驚いている。というのは，帯は体格ごとに締めると楽な位置が違うはずで，成人の体格でありながら，子どもにとって楽な位置（みずおち）に帯を締めていて，何とも思わないからである。そして，自然で楽かどうかというのは身体感覚の問題であるから，締める位置を知っているかどうかという知識の問題とは別の「次元」の話である。しかも，大人になると帯の位置が変わる風習が忘れられていることは，大人の仲間入りをするのに身体的な鍛錬を受けていないということでもあるのである。

1 ×　この文の作者が驚いているのは，**「子どもの帯位置で帯を締めていることに対して何の疑問も抱いていない」**ことである。「帯の正しい締め方を習っていないこと」ではない。第二段落には，「知っているかどうかなどということとは少々次元の異なる問題」ともある。

2 ○　**身体感覚の変化（衰退）**というのが，**この文の主題**でもある。

3 ×　第二段落では「仕きたりや作法や生活上の細かな段どり」と「身体感覚」を対比的に考えている。作者の考えでは，帯は作法によって締めるものではなく，身体感覚によって自然とどこに締めるべきかが決まるものである。帯の締め方は「知る」ものではないし，**変なところに締めていたら「仕方のない」では済まされない**。

4 ×　成人と未成年とを区別するために，帯を締める**位置を変えていたわけではない**。本文の内容とも事実とも明らかに異なる。

5 ×　第三段落で「意外に重大」と言っているのは，「大人としてもとめられる身心の感覚」が鍛錬されないまま成人になっていることである。

政治
経済
社会情報
日本史
世界史
地理
文学芸術
国語
数学
物理
化学
生物
地学
英語
現代文古文
資料解釈
判断推理空間把握
数的推理

| 解答 | 2 |

次の文の内容と合致するものとして最も妥当なのはどれか。

マルクス主義においては権力は，プロレタリアが獲得する権力と，ブルジョワが抑圧する権力の二つに絞られていた。国家が消滅するまでの人間の「前史」においては，いずれも国家権力として機能するものであり，ブルジョワはプロレタリアを国家の権力装置によって支配し，抑圧すると考えられていた。

マルクス主義者のアルチュセールのイデオロギーの理論は，イデオロギーを信じる主体がいかにして形成されるかという視点をそなえていた点で，マルクス主義の権力論としては例外的なものであった。しかしこのアルチュセールのイデオロギー論も，社会の主体は外部からイデオロギー（虚偽意識）によって統制されると考えるものであった。

これに対してフーコーの権力論は，権力を虚偽意識の観点からではなく，主体の内部から機能する力として分析するものである。フーコーはそれまでの権力論を批判する——これまで権力は「排除する」「抑圧する」「隠蔽する」「取り締まる」などの否定的な用語で考えられてきたが，権力は主体の内部から，現実的なものを生み出している力として理解する必要があるのではないか。

フーコーが権力を，このような外部からの強制や抑圧としてではなく，主体の内部から働く力として，複数の人間の間に成立する力の場として考えたことによって，権力の理論に新たな可能性が生まれた。

まず，権力の理論をマルクス主義的な階級の抑圧理論として捉えるのではなく，社会の内部で普遍的に働くものであると考えることによって，権力の行使に関する微細な分析が可能となった。階級対立論では，アルチュセールのようにブルジョワ階級あるいは国家による権力の行使を分析できても，学校や会社やさまざまな制度と組織の内部での権力の装置の微細な分析は，そもそも必要とも考えられなかっただろう。

権力が，これまでのように抑圧的なブルジョワ権力や，革命的なプロレタリア権力のようなイメージではなく，真理を語ると自称する者とその真理を信じる者，教師と生徒，上司と部下，男性と女性，父親や母親と子供といった日常生活のすみずみに張りめぐらされた人間の間の力関係の網の目として理解されるようになることによって，現実の生活の場での社会批判の視点が確保されるのである。

次に，権力を批判する知識人の役割が転換した。これまでの知識人の像は，マルクス主義者やサルトルに代表されるような「普遍的な知識人」であった。このタイプの知識人は，人間が世界で生きていくうえでの基本的な考え方（世

界観）を提示することを自分の義務と考える。この知識人は「真理と正義の所有者」として発言するのであり，「普遍性を代表する人間」としてふるまう。

これに対してフーコーが提示した知識人の像は，「特定領域の知識人」として，自分の生活の場という具体性から発言する。ここでは知識人は普遍的な真理の場から語るのではなく，自分の利害関係のある問題について，自分の観点から，自分の専門の問題について語るのである。

出典：中山元，『フーコー入門』（ちくま新書）

1 マルクス主義はブルジョワが国家の権力装置によってプロレタリアを支配し抑圧すると考えたが，アルチュセールはそのイデオロギーを信じる主体がいかに形成されるかを考える反マルクス主義の立場に立った。

2 マルクス主義は労働を疎外と抑圧という外部的観点から捉えたが，フーコーは労働を主体の内部から働く力と考えた点で，まったく新しい労働観の地平を切り開き，普遍思想ではなく個別思想の優位性を示した。

3 マルクス主義では社会の主体が外部からのイデオロギー論，すなわち虚偽意識によって統制されるものであったが，フーコーは権力を主体の内部から機能する力として分析するものと考えた。

4 マルクス主義は権力を外部からの強制や抑圧として捉えたが，フーコーは主体の内部から働く力として考えるとともに，新たな知識人像も提示し，以前のそれは普遍的真理を語る人間であったのに対しフーコー以降は特定領域を語る人間となった。

5 マルクス主義は権力を外部からの視点で凝視したが，フーコーはマルクス主義を改良したアルチュセールの思想を取り入れ，権力の内部からの視座を重要視し，権力の由来が人間の精神にあることを指摘した。

解答欄

1 × 「マルクス主義はブルジョワが国家の権力装置によってプロレタリアを支配し抑圧すると考えた」まではよい。「イデオロギーを信じる主体がいかに形成されるかを考える」アルチュセールの思想のまとめもよい。しかし彼が「反マルクス主義の立場に立った」は**事実誤認**。二段目にアルチュセールは「**マルクス主義者**」とある。

2 × 「マルクス主義は労働を疎外と抑圧という外部的観点から捉えた」とあり，また「フーコーは労働を主体の内部から働く力と考えた」とあるが，ここで問題にされているのは「**労働**」ではなく「**権力**」。「**労働**」という**単語自体一度も出てこない**。

3 × 「マルクス主義では社会の主体が外部からのイデオロギー論，すなわち虚偽意識によって統制されるものであった」とあるが，「外部からのイデオロギー論」や「虚偽意識」は**アルチュセールの思想を示すもの**。フーコーについての文は妥当。

4 ○ 本文はマルクス主義における**権力の考え方**と**フーコーにおけるそれ**とを対照的に分かりやすく解説したもの。前者は権力を外部からの抑圧機構として，後者は主体の内部に力の由来があるとしたものなので，**選択肢の文意と合致**する。知識人についても前者の知識人は普遍的真理を所有しそれを語るというイメージだが，フーコーが提示したのは特定領域のことを語る知識人のイメージである。

5 × 「権力を外部からの視点で凝視した」とあるが，本文では「**外部**」は「外部からの視点」という文脈では**使われていない**。また「マルクス主義を改良したアルチュセールの思想」とあるが，「**改良した**」とは**本文に書かれていない**し，さらにそれを「**取り入れた**」とも**書かれていない**。また「内部からの視座」に対応する**語句はなく**，「権力の由来が人間の精神にある」とも**書かれていない**。

解答 4

現代文（空欄補充）

重要度 Ｂ

次の文の A，B，C に当てはまる語句の組合せとして最も妥当なのはどれか。

現代という時代は，「（　A　）」というひじょうに価値的な言葉を厳密に定義することがきわめて難しい時代であると言えるだろう。南北の格差がいまだに存在するとはいっても，それは「（　A　）」という機軸においてではけっしてない。その意味において，ギリシア語の「（　A　）」の定義がきわめて明快であることは認めなければならない。また，たとえ心情的には明確な定義を抱いているとしても，それが一般的な了解をえられるような状況でもないのである。しかし，注目しなければならないのは，その分岐点になっているのがまさに「言葉」だというところである。

自分たちと同じ言葉を話すかどうかが「（　B　）」と「（　A　）」の分かれ道になっているのである。ちなみに書き添えておけば，現行の英語における 'barbarian' 系統の各語にも，「（　A　）」の意味のほかに「言葉」に纏わる意味内容，たとえば「耳障りな音」とか「聞き慣れない言葉」といった意味が含まれているのである。

人類の原型とも言える未開社会への眼を排除する意志と「（　C　）」の使用をもって「（　B　）」の発生，さらには歴史の開始とする "歴史観" とは，同じ精神から発したものである。また，ヨーロッパ語の「（　A　）」概念にこめられた意味内容にも，それは表れている。そこには，明らかに一定の指向性をもった理念が働いているように思われる。

出典：山本雅男，『ヨーロッパ「近代」の終焉』（講談社現代新書）

	A	B	C
1	未開	野性	言語
2	未開	文明	文字
3	野蛮	野性	言語
4	野蛮	文明	文字
5	野性	文明	言語

解答欄

　Aは6箇所もあるが，決め手になるのは**5番目**の（　A　）である。この前後は「現行の英語における'barbarian'系統の各語にも，（　A　）の意味のほかに〜」といった文脈となっており，英語の'barbarian'と同義であることが推定されるから「**野蛮**」が入る。

　また「ひじょうに価値的な言葉を厳密に定義することがきわめて難しい時代」であり，なおかつ"対象"，「南北の格差がいまだに存在するとはいっても」，"そのこと"において論じられないもの，ということからも「**野蛮**」が入る。

　Bは2箇所あるが，1つ目は「自分たちと同じ言葉を話すかどうかが（　B　）と（　A　）の分かれ道になっている」という文脈の中にある。すでに（　A　）は「**野蛮**」ということが判明しているから（　B　）には「**野蛮**」ともっとも対比的・対蹠的な言葉が入ることが推定されるので「**文明**」となる。2つ目の（　B　）はその「発生」が「歴史の開始」とされるものであるので，このことからも「**文明**」が入る。

　Cは「人類の原型とも言える未開社会への眼を排除する意志と（　C　）の使用をもって文明の発生，さらには歴史の開始とする」という文脈の中にある。つまり「未開社会への眼を排除する意志」と「（　C　）の使用」は「文明の発生」を保証するものでなければならないのだ。このことから推定すると未開社会の段階から使われていた喋り言葉を含意する「**言語**」ではなく「**文字**」が入る。

解答　　4

現代文・古文

No.126 　　　　　　**古　文（内容把握）** 　　　🅑 重要度

次の文は『方丈記』の一節であるが，内容に合致するものとして最も妥当な
ものはどれか。

　ここに六十の露消えがたに及びて，さらに末葉の宿りを結べる事あり。いは
ば旅人の一夜の宿を作り，老いたる蚕の繭をいとなむがごとし。これをなかご
ろの栖にならぶれば，また，百分が一に及ばず。とかくいふほどに齢は歳々に
たかく，栖は折々に狭し。その家のありさま，世の常にも似ず。広さはわづか
に方丈，高さは七尺が内なり。所を思ひ定めざるがゆゑに，地を占めて作らず。
土居を組み，うちおほひを葺きて，継目ごとにかけがねを掛けたり。もし心に
かなはぬ事あらば，やすく外へ移さむがためなり。そのあらため作る事，いく
ばくの煩ひかある。積むところわづかに二両，車の力を報ふほかには，さらに
他のようとういらず。

1　六十歳になって設計した余生の住まいは，老いた蚕の繭づくりのようなもの
　　であるが，これを人生中ごろの棲家と比べると百分の一にもならず，まった
　　く切ない話である。

2　年老いて作った住まいは財力に比例して，広さはたった一丈四方，高さは七
　　尺かそこらで，まったく簡素であるが，唯一の取得は簡単に引越しできるこ
　　とである。

3　終の棲家の広さはたった一丈四方，高さは七尺かそこらで，しかも地ごしら
　　えのしていないところに建てたので，耐用期限がくれば引っ越すつもりであ
　　る。

4　終の棲家の屋根は打覆いで葺いてあるとはいうが，実は乗せてあるだけで，
　　柱も板も指しこんでいないところは掛け金で留めてあるだけで，晩年に似つ
　　かわしいはかなさである。

5　晩年の住まいは人生中ごろのそれと比べると広さが百分の一以下，作りも簡
　　素なうえにも簡素で，それももしおもしろくないことがあったらたやすく他
　　へ引っ越すためだ。

解答欄

　「ここに六十の露消えがたに及びて」は「60 歳になって」の意。「末葉の宿り」は「最後の在り所」の意。「方丈」は一丈（約３ｍ）四方で，要するに「真四角」の部屋のこと。四畳半程度。したがって『方丈記』とは住居論をテーマとする作品ともいえる。「うちおほひ」は簡単な屋根。「もし心にかなはぬ事あらば，やすく外へ移さむがためなり」は世捨て人らしい身構えを示している一文。「ようとう」は「用途」の意。

1 ✕　「まったく切ない話である」の**部分が不適当**。「切ない」に対応する単語・表現は**本文にはない**。長明は，晩年の住居の狭さを「もし心にかなはぬ事あらば，やすく外へ移さむがためなり」と**むしろひそやかに誇っている**。

2 ✕　「年老いて作った住まいは財力に比例して」の**部分が間違い**。「財力に比例して」に対応する部分が**本文にはない**。また「唯一の取得は簡単に引越しできることである」の**部分も不適当**。引越しが簡単なことを「唯一の取得」と卑下しつつ自慢している屈折のニュアンスは本文から**読み取れない**。また「唯一の取得」に対応する単語・表現自体が**本文にない**。

3 ✕　「耐用期限がくれば」の**部分が間違い**。引っ越すのは「**耐用期限**」が理由ではなく「**もし心にかなはぬ事**」があれば，という理由によってである。

4 ✕　棲家の簡素さについての記述は本文と対応しているが，その簡素な棲家が「晩年に似つかわしいはかなさ」という**感想はどこにもない**。

5 ◯　棲家の簡素さについての記述，引越しをする理由についての記述，**どちらも本文に対応**する部分がある。

解答　5

〔訳〕
　さて 60 歳になって今さらまた余生の住まいの設計をした。それはいわば旅人にとっての最後の夜の宿，老いた蚕が繭をつくるようなものなのだ。これを 30 歳までの棲家と比べると百分の一にもならない。とやかくいっているうちに，ますます年をとり，住まいは引っ越すたびに狭くなったわけだ。その家の有様というのが並大抵ではない。広さはたった一丈四方，高さは七尺かそこら。どこといって建てる場所を決めていたわけではないので，地ごしらえがしていない。いきなり地べたに四本の丸太を横たえてこれを正方形に組み，その四隅の上に柱を立てる。いわゆる土居である。屋根は打覆いで葺いてあるとはいうが，実は乗せてあるだけなのだ。柱も板も，指しこんでいないところは，みんな掛け金が留めてある。もし，おもしろくないことがあったら，簡単に他へ引っ越せるようにしてあるのだ。移築するのは簡単だ。なにほどの面倒なことがあるというのか。車に積んで，たった二台分。その運び賃さえ払えば，あとは何の費用もいらないのである。

フォローアップ 現代文・古文

□文学史

1　『古事記』を撰録したのは誰か。

2　『万葉集』の部立で恋愛を詠んだものを答えよ。

3　『古今集』・『後撰集』・『拾遺集』をあわせて何というか。

4　藤原定家が撰者となった和歌集を答えよ。

5　10世紀初頭に成立した現存最古の物語を答えよ。

6　紀貫之が自らを女に仮託して表した日記を答えよ。

7　藤原道綱の母が著した日記を答えよ。

8　菅原孝標の女が著した日記を答えよ。

9　「をかし」を文学理念とする作品を答えよ。

10　『源氏物語』に底流する文学理念を答えよ。

11　芥川龍之介が題材を採った平安末期の説話集を答えよ。

12　『金槐和歌集』の作者を答えよ。

13　「花」を美的理念とする能芸論書を答えよ。

14　「不易流行」という理念を標榜したのは誰か。

15　『おらが春』の作者を答えよ。

16　『古事記伝』の作者を答えよ。

17　近松門左衛門が完成させた人形劇は何か。

18　『東海道四谷怪談』の作者を答えよ。

19　「男もすなる日記といふものを…」は何の冒頭か。

20　「ゆく河の流れは絶えずして…」は何の冒頭か。

21　「月日は百代の過客にして…」は何の冒頭か。

□和歌・俳句

1　「母」を導く枕詞を答えよ。

2　「旅」を導く枕詞を答えよ。

3　枕詞「あをによし」が導く語を答えよ。

4　掛詞「かれ」の意味を2つ漢字で書け。

5　掛詞「ながめ」の意味を2つ漢字で書け。

○ 正 解 ○

□文学史

1	稗田阿礼
2	相聞
3	三代集
4	新古今和歌集
5	竹取物語
6	土佐日記
7	蜻蛉日記
8	更級日記
9	枕草子
10	もののあはれ
11	今昔物語
12	源実朝
13	風姿花伝（花伝書）
14	松尾芭蕉
15	小林一茶
16	本居宣長
17	浄瑠璃
18	鶴屋南北
19	土佐日記
20	方丈記
21	奥の細道

□和歌・俳句

1	たらちねの
2	くさまくら
3	奈良
4	枯れ・離れ
5	眺め・長雨

		○ 正 解 ○
6	季語「陽炎」の季節を答えよ。	6 春
7	季語「野分」の季節を答えよ。	7 秋
8	「五月雨を集めて早し最上川」の作者を答えよ。	8 松尾芭蕉
9	「菜の花や月は東に日は西に」の作者を答えよ。	9 与謝蕪村

	□古典単語	□古典単語
1	「あからさまなり」の意味を答えよ。	1 ついちょっと
2	「あさまし」の意味を答えよ。	2 意外だ・驚きあきれる
3	「怠る」の意味を答えよ。	3 病気が治る
4	「おとなし」の意味を答えよ。	4 大人びている
5	「おどろく」の意味を答えよ。	5 驚く・目を覚ます
6	「すさまじ」の意味を答えよ。	6 興ざめだ・殺風景だ
7	「疾し」の意味を答えよ。	7 はやい
8	「つとめて」の意味を答えよ。	8 早朝・翌朝
9	「つれづれなり」の意味を答えよ。	9 退屈だ
10	「悩む」の意味を答えよ。	10 病気になる
11	「念ず」の意味を答えよ。	11 我慢する・祈る
12	「ののしる」の意味を答えよ。	12 大声で騒ぐ
13	「まもる」の意味を答えよ。	13 じっと見つめる
14	「やがて」の意味を答えよ。	14 そのまま・すぐに
15	「らうたし」の意味を答えよ。	15 かわいい

	□文法	□文法
1	「つゆ〜打消し」の意味を答えよ。	1 まったく〜ない
2	「つやつや〜打消し」の意味を答えよ。	2 まったく〜ない
3	「□〜打消し」(=〜できない)の□を埋めよ。	3 え
4	「な言ひそ」の意味を答えよ。	4 言うな
5	終助詞「〜未然+ばや。」の意味を答えよ。	5 〜したい
6	終助詞「〜未然+なむ。」の意味を答えよ。	6 〜してほしい
7	終助詞「〜体言+もがな。」の意味を答えよ。	7 〜があればなあ
8	反実仮想「〜ましかば,〜まし。」の意味を答えよ。	8 もし〜ならば

資料解釈

知能分野

年度別実績表

重要度

　表は，各年に発生した火災の出火原因と出火件数の推移を示している。これから確実にいえるのはどれか。

順位	A年			B年			C年		
	出火原因	出火件数	構成割合	出火原因	出火件数	構成割合	出火原因	出火件数	構成割合
1	放火	5,612	12.0%	放火	5,632	11.3%	放火	5,370	12.2%
2	こんろ	4,694	10.1	たばこ	4,752	9.5	たばこ	4,212	9.5
3	たばこ	4,475	9.6	こんろ	4,178	8.4	こんろ	3,959	9.0
4	放火の疑い	3,939	8.4	放火の疑い	3,931	7.9	放火の疑い	3,220	7.3
5	たき火	2,515	5.4	たき火	3,443	6.9	たき火	2,430	5.5
6	火遊び	1,678	3.6	火遊び	1,736	3.5	ストーブ	1,544	3.5
7	ストーブ	1,469	3.2	火入れ	1,622	3.2	電灯電話等の配線	1,392	3.2
8	電灯電話等の配線	1,362	2.9	ストーブ	1,609	3.2	配線器具	1,297	2.9
9	配線器具	1,143	2.5	電灯電話等の配線	1,446	2.9	火遊び	1,206	2.7
10	火入れ	1,033	2.2	配線器具	1,258	2.5	火入れ	1,104	2.5
	出火総件数	46,620		出火総件数	50,006		出火総件数	44,189	

順位	D年			E年			F年		
	出火原因	出火件数	構成割合	出火原因	出火件数	構成割合	出火原因	出火件数	構成割合
1	放火	5,093	10.6%	放火	4,884	11.2%	放火	4,033	10.3%
2	たばこ	4,454	9.3	たばこ	4,088	9.3	たばこ	3,638	9.3
3	たき火	3,739	7.8	こんろ	3,484	8.0	こんろ	3,497	8.9
4	こんろ	3,717	7.7	放火の疑い	3,154	7.2	放火の疑い	2,469	6.3
5	放火の疑い	3,693	7.7	たき火	2,913	6.7	たき火	2,305	5.9
6	火入れ	2,095	4.4	火入れ	1,665	3.8	火入れ	1,343	3.4
7	ストーブ	1,455	3.0	ストーブ	1,426	3.3	電灯電話等の配線	1,341	3.4
8	電灯電話等の配線	1,301	2.7	電灯電話等の配線	1,298	3.0	ストーブ	1,228	3.1
9	配線器具	1,219	2.5	配線器具	1,193	2.7	配線器具	1,160	3.0
10	火遊び	1,185	2.5	電気機器	1,074	2.5	電気機器	1,104	2.8
	出火総件数	48,095		出火総件数	43,741		出火総件数	39,111	

1 出火原因の上位 10 位は毎年変わっていない。
2 出火原因の上位 3 位は毎年変わっていない。
3 出火件数の上位 3 位を合計すると毎年 14,000 件を超えている。
4 構成割合の上位 3 位を合計すると毎年 25％を超えている。
5 出火原因のたばこと火入れを合わせると毎年 1 位になる。

解答欄

解 説 127

1 × 　E，F 年の 10 位に**他の年にない電気機器**がある。
2 × 　D 年の 3 位に他の年に**ないたき火**がある。
3 × 　C，D，E，F 年の上位 3 位を合計すると，どの年も **14,000 件以下**である。
4 ○ 　上位 3 位の合計は A 年から順に，31.7％，29.2％，30.7％，27.7％，28.5％，28.5％となっている。
5 × 　A 年のたばこと火入れを合計した出火件数は 5,508 件であり 1 位の放火の **5,612 件を下回る**。また，C 年のたばこと火入れを合計した出火件数は 5,316 件で 1 位の放火の **5,370 件を下回る**。

解答　　4

➕プラス知識

参考
　問題においてほとんど同じような内容である選択肢 3 と 4 について，選択肢 3 の「出火件数の上位 3 位を合計すると毎年 14,000 件を超えている。」は×であるにも関わらず，選択肢 4 の「構成割合を合計すると毎年 25％を超えている。」は○である。このような事になってしまったのは，構成割合を計算する際に分母となる出火総件数が，年によって最大 10,000 件以上も差があるからである。
　割合というものは，分子が大きくても分母も大きければ必ずしも大きな割合にならないし，分子が小さくても分母も小さければ大きな割合になり得る。割合を考える際には，分子となる個々の件数だけでなく，分母となる総件数にも注意を払う必要がある。

各駅料金表

重要度 C

　ある鉄道区間のA～Kの各駅間料金（片道）は，以下の表のとおりである。この料金に関する次の記述で，ア，イに入る金額の組合せとして最も妥当なのはどれか。

　上野さんは，A駅から乗車し，J駅で降りて友人の家を訪ねることにした。A駅からJ駅まで直行すれば，その料金は460円である。

　しかし上野さんは，A駅から乗車後，まずB駅で一度下車して市役所で用事を済ませ，その後B駅から乗車してD駅で降りて駅前のデパートでこれから会う友人へのおみやげを買って，D駅からJ駅まで行って友人に会うことにした。帰りは，J駅からA駅まで直行して帰ろうと考えた。この場合，全行程で必要な料金は（　ア　）である。

　ところが，上野さんはA駅から乗車後，B駅で下車するのをうっかり忘れたのに気付き，計画を次のように変更した。

　「B駅に逆戻りはせずに，B駅での用事は後回しにして，先に友人の家へ向かおう。A→D→J→B→Aの順にしよう」。その場合は，全行程で必要な料金は，当初の（　ア　）に比べ（　イ　）高くなることがわかった。

　ただし乗車料金に関して次のような規定がある。

　①乗越しの場合は，下車駅で精算できる。

　②下車した場合は，再度乗車するときは新たに切符を買わなければならない。

（単位：円）

A駅										
150	B駅									
160	150	C駅								
200	160	150	D駅							
200	200	160	160	E駅						
250	250	200	200	160	F駅					
290	290	250	200	200	160	G駅				
290	290	250	250	200	200	160	H駅			
380	380	290	290	250	200	200	160	I駅		
460	460	380	380	290	250	250	200	200	J駅	
540	460	460	380	290	290	250	250	200	200	K駅

	ア	イ
1	1,120 円	40 円
2	1,120 円	70 円
3	1,150 円	60 円
4	1,150 円	40 円
5	1,190 円	60 円

解答欄

解 説 128

　説明文は長いが，数値を求める個所は 2 つである。文章の内容と料金表の読み方さえ理解できれば，文章のとおり表の金額を加えていけばよいので易しい問題である。しかも，料金表の読み方については，**説明文中で「A 駅から J 駅まで直行すれば，その料金は 460 円」というヒント**も与えられている。

〈最初の計画どおりに乗車した場合の（ア）の料金〉

A 駅→ B 駅‥‥‥‥‥‥‥‥ **150** 円

B 駅→ D 駅‥‥‥‥‥‥‥‥ **160** 円

D 駅→ J 駅‥‥‥‥‥‥‥‥ **380** 円

J 駅→ A 駅‥‥‥‥‥‥‥‥ **460** 円

であるから，

150 ＋ 160 ＋ 380 ＋ 460 ＝ 1150（円）となる。

〈計画を変更後の（イ）の料金〉

A 駅→ D 駅‥‥‥‥‥‥‥‥ **200** 円

D 駅→ J 駅‥‥‥‥‥‥‥‥ **380** 円

J 駅→ B 駅‥‥‥‥‥‥‥‥ **460** 円

B 駅→ A 駅‥‥‥‥‥‥‥‥ **150** 円

であるから，

200 ＋ 380 ＋ 460 ＋ 150 ＝ 1190（円）となる。

以上から，変更後の料金は **40** 円高いことになる。

したがって，正しい組合せは **4** である。

解答　4

政治
経済
社会情報
日本史
世界史
地理
文学芸術
国語
数学
物理
化学
生物
地学
英語
現代文古文
資料解釈
文章理解空間把握
数的推理

No. 129 　棒グラフ＋折れ線グラフ　

グラフは，新造鉄道車両生産の年度別推移を示している。これから確実にいえるのはどれか。

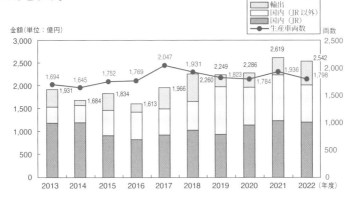

1 2020年度の合計金額は，2016年度の合計金額より517億円多い。

2 合計金額が，10年間の平均金額に最も近いのは，2015年度である。

3 1両当たりの単価が最も安いのは，2016年度である。

4 1両当たりの単価が最も高いのは，2019年度である。

5 合計金額の増減は，生産車両数の増減に比例している。

解答欄

解 説 129

1 × 2020年度の合計金額 **2,286** 億円－2016年度の合計金額 **1,613** 億円＝ **673** 億円である。

2 × 10年間の平均金額は **2,098.4** 億円であり，2015年度の **1,834** 億円より，**2017** 年度の **1,966** 億円のほうが近い。

3 ○ 棒グラフよりも折れ線グラフが**上**にある年度に注目すると，**2016** 年度が最も差の割合が大きく，1両当たり約 **0.912** 億円で最も安い。

4 × 棒グラフよりも折れ線グラフが**下**にある年度に注目すると，**2022** 年度が最も差の割合が大きく，1両当たり約 **1.414** 億円で最も高い。

5 × 2015～2016，2017～2018年度，2019～2020年度は，生産車両数と合計金額の増減が**一致**していないので，比例しているとはいえない。

解答　　**3**

資料解釈

No. **130**

円グラフ

Ⓐ 重要度

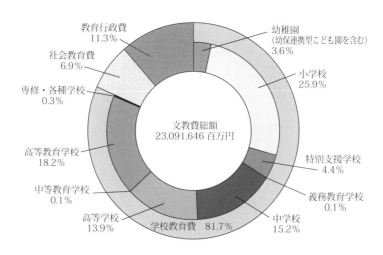

グラフは，ある年度における教育分野別に見た文教費総額を示している。これから確実にいえるのはどれか。

教育行政費
11.3%

社会教育費
6.9%

専修・各種学校
0.3%

高等教育学校
18.2%

中等教育学校
0.1%

高等学校
13.9%

学校教育費　81.7%

幼稚園
（幼保連携型こども園を含む）
3.6%

小学校
25.9%

文教費総額
23,091,646 百万円

特別支援学校
4.4%

義務教育学校
0.1%

中学校
15.2%

1 学校教育費に対する小学校の割合は約 32%である。

2 学校教育費に対する中学校の割合は約 12%である。

3 特別支援学校の 1 校当たりの文教費は，小学校よりも多い。

4 高等学校の文教費は 3,00,000 百万円を超えていない。

5 中学校・高等学校・高等教育の文教費の割合は毎年ほぼ同じである。

解答欄

解 説 130

1○　小学校の **25.9%**÷学校教育費の **81.7%**では約 **31.7%**となる。

2×　中学校の **15.2%**÷学校教育費の **81.7%**では約 **18.6%**となる。

3×　グラフに**校数は書かれていない**ので，1 校当たりの文教費を**計算することはできない**。

4×　文教費総額 23,091,646 百万円×高等学校の **13.9%**では約 **3,209,739**百万円となる。

5×　グラフは**1 年度のみ**なので，**他年度との比較はできない**。

解答　　1

政治
経済
社会情報
日本史
世界史
地理
文学芸術
国語
数学
物理
化学
生物
地学
英語
現代文古文
資料解釈
判断推理空間把握
数的推理

分布図

重要度

　図は，日本周辺の海域別の年平均海面水温の再現値と観測との差を示したものである。これから確実にいえるのはどれか。

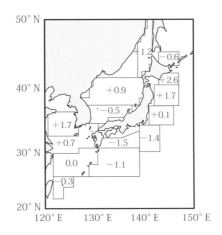

1 高緯度ほど＋の値が大きくなっている。

2 ＋の海域が圧倒的に多くなっている。

3 ＋と－の海域の面積はほぼ同じである。

4 海面水温が最も高い海域と，最も低い海域では 4℃以上違う。

5 ＋と－の値を全て合計すると＋である。

解答欄

解　説 131

1 ×　＋ 2.6 の海域の北側に＋ 1.2 や－ 0.6 の海域がある。

2 ×　図中の 14 の海域のうち＋が 7 海域，－が 6 海域でありほぼ同数である。

3 ×　図法が分からないため，図から面積を求めることは不可能である。

4 ×　海域における年平均海面水温の再現値も観測した温度も図には示されていないため，海域どうしの温度比較は不可能である。

5 ○　図中の 14 の海域のうち，＋の 7 海域の合計が＋ 8.9 で，－の 6 海域の合計が－ 5.4 である。

解答　5

判断推理
空間把握

▲ 知能分野

梅子, 桃子, 桜子の 3 人は学校の授業で美術か音楽のいずれかを選択していて, これについて次のように話した。

梅子:「私と桃子は同じ科目を選択している。」

桃子:「私と桜子は美術を選択している。」

桜子:「梅子も桃子も私と違う科目を選択している。」

ところが, 3 人のうち 1 人だけがうそをついていることが分かった。このとき, 3 人が選択している科目についてあり得るものはどれか。

	梅子	桃子	桜子
1	美術	音楽	美術
2	美術	音楽	音楽
3	音楽	美術	音楽
4	音楽	美術	美術
5	音楽	音楽	美術

解答欄

解　説 132

　仮に梅子がうそをついているとすると正しいことを言っているはずの桜子と矛盾し, 桜子がうそをついているとしても同様である。これよりうそをついているのは桃子であり, 梅子と桜子の言っていることが正しいので, 桃子か桜子は美術を選択しておらず, 梅子と桃子が同じ科目を選択し桜子だけが違う科目であることが分かる。よって, 選択肢の中であり得るのは 5 の**梅子と桃子が音楽で桜子が美術**である。

	梅　子	桃　子	桜　子
梅子の言い分	同じ科目	同じ科目	
桃子の言い分		美　術	美　術
桜子の言い分	同じ科目	同じ科目	違う科目

解答　5

判断推理

No. 133

順位表

Ⓐ 重要度

14 チームでサッカーのリーグ戦（総当たり戦）を行っている。1 試合ごとに勝敗ポイントが与えられるが，そのポイント数は勝ちが 3，引き分けが 1，負けが 0 である。全てのチームが最後の 1 試合を残すのみとなったとき，上位 7 チームの得失点差（総得点－総失点）が次の表の通りであった。このとき確実にいえるのはどれか。

ただし順位の確定要素は，①勝敗ポイントの多さ，②得失点差の多さ，③直接対決の勝利チーム，の順である。

暫定順位	勝敗ポイント	得失点差
1	30	＋ 20
2	30	＋ 19
3	25	＋ 15
4	22	＋ 17
5	19	＋ 7
6	19	＋ 4
7	17	＋ 5

1 暫定 1 位のチームは，最終戦で負けなければ優勝できる。

2 暫定 2 位のチームは，最終戦で引き分ければ 2 位が確定する。

3 暫定 4 位のチームは，最終戦で勝たなければ順位が上がることはない。

4 暫定 5 位のチームは，最終戦で負けると 6 位以下に順位が下がる。

5 暫定 6 位のチームは，最終戦で負けても 8 位以下に順位が下がることはない。

解答欄

解 説 133

1 × 仮に暫定 1 位のチームが最終戦で勝ったとしても，2 位のチームも最終戦で勝ち**得失点差も上回れば逆転優勝**されてしまう。

2 × 暫定 1 位のチームが最終戦で負ければ，2 位のチームが最終戦で引き分けても**逆転優勝**できる。

3 ○ 暫定 3 位と 4 位のチームの勝敗ポイントの差は 3 ポイントであるため，4 位のチームがこのポイント差を埋めて順位を上げるには，**少なくとも最終戦で勝つしかない**。

4 × 暫定 5 位のチームが最終戦で負けても，下位のチームも負けて更に**得失点差が逆転されなければ順位が下がることはない**。

5 × 仮に暫定 8 位のチームの勝敗ポイントが 16 あった場合，6 位のチームが負けて 7 位と 8 位のチームが勝てば，**得失点差で 6 位から 8 位に下がり得る**。

解答　**3**

政治
経済
社会情報
日本史
世界史
地理
文学芸術
国語
数学
物理
化学
生物
地学
英語
現代文古文
資料解釈
判断推理空間把握
数的推理

No.134　命 題

重要度 A

2つの文が論理的に同じ意味を表しているのはどれか。

1　「類は友を呼ぶ。」「類でなければ友を呼ばない。」

2　「火の無い所に煙は立たず。」「煙が立つ所には火がある。」

3　「転がる石に苔生さず。」「苔が生えないのは転がっている石である。」

4　「去る者は日々に疎し。」「去る者でなければ日々に疎くならない。」

5　「急がば回れ。」「回らば急げ。」

解答欄 □□□□□

解 説 134

　命題「**P であるならば Q である。**」と論理的に同じ意味となるのは，対偶の「**Q でないならば P でない。**」という命題である。

1 ×「類は友を呼ぶ。」の対偶は「**友を呼ばないのは類でない。**」である。

2 ○「火の無い所に煙は立たず。」の対偶は「**煙が立つ所には火がある。**」である。

3 ×「転がる石に苔生さず。」の対偶は「**苔が生えるのは転がっていない石。**」である。

4 ×「去る者は日々に疎し。」の対偶は「**日々に疎くならないのは去る者でない。**」である。

5 ×「急がば回れ。」の対偶は「**回らなければ急ぐな。**」である。

解答　**2**

No.135　必勝法

1 から 13 の数字が書かれた 13 枚のカードを 1 のカードから順に 2 人で交互に取り合い，最後に 13 のカードを取った方が負けとなるゲームを行う。ただし，1 回に取ることができるカードは 1 枚か 2 枚か 3 枚とする。最初にカードを取る人を先番，その次にカードを取る人を後番とよぶことにすると，先番，後番を自由に選ぶことができるならばこのゲームには必勝法が存在する。

その初期のゲーム運びの判断として最も妥当なのは，次のうちではどれか。

1 先番を選び，最初に 1 のカードを取る。

2 先番を選び，最初に 1 と 2 のカードを取る。

3 後番を選び，相手が 1 のカードを取れば 2 のカードを取り，相手が 1 と 2 のカードを取れば 3 と 4 のカードを取り，相手が 1 と 2 と 3 のカードを取れば 4 と 5 と 6 のカードを取る。

4 後番を選び，相手が 1 のカードを取れば 2 と 3 と 4 のカードを取り，相手が 1 と 2 のカードを取れば 3 と 4 のカードを取り，相手が 1 と 2 と 3 のカードを取れば 4 のカードを取る。

5 後番を選び，相手が 1 のカードを取れば 2 と 3 のカードを取り，相手が 1 と 2 のカードを取れば 3 のカードを取り，相手が 1 と 2 と 3 のカードを取れば 4 と 5 と 6 のカードを取る。

解答欄

解説 135

このゲームは 13 のカードを取ったら負け，つまり 13 のカードを必ず相手に取らせれば勝てるので，**12 のカードを自分が取れば**勝てる。そのためには，1 回に取ることができる枚数は 1 枚から 3 枚なので，**後番を選び**，相手の取った枚数と自分の取る枚数の**和が 4** となるようにすればよい。例えば，相手が 1 と 2 と 3 のカードを取れば 4 のカードを取り，次に相手が 5 と 6 のカードを取れば 7 と 8 のカードを取り，最後に相手が 9 のカードを取れば 10 と 11 と 12 のカードを取る，という要領である。

解答　4

時　刻

重要度 B

　太郎君が自宅を出たとき自宅の時計は 10：00 を指していて，学校を通過したときに学校の時計は 10：30 を指していて，公園に着いたとき公園の時計は 11：00 を指していた。公園で 2 時間過ごした後，来た道を戻って自宅に着いたとき自宅の時計は 13：00 を指していた。ただし，太郎君の歩く早さは常に一定で，自宅と公園の間では休憩を取っていない。また，学校は自宅と公園のちょうど中間地点にあり，自宅，学校，公園の時計はすべて正確な時刻よりも常に一定時間だけ早い時刻か遅い時刻を指している。このとき確実にいえるのはどれか。

1　公園の時計は，学校の時計よりも 45 分進んでいる。
2　公園の時計は，学校の時計よりも 30 分進んでいる。
3　学校の時計は，自宅の時計よりも 45 分進んでいる。
4　学校の時計は，自宅の時計よりも 30 分進んでいる。
5　公園の時計は，自宅の時計よりも 30 分進んでいる。

解答欄

解 説 136

　自宅の時計で 10：00 に出発し 13：00 に帰宅したので，太郎君の外出時間は 3 時間である。そのうち公園で 2 時間過ごしているので，往復に使った時間は 1 時間つまり片道では 30 分である。学校は中間地点にあるので，自宅から学校までと学校から公園まではともに 15 分掛かることになる。

　よって，学校を通過したとき自宅の時計は 10：15 を指しているはずなので，10：30 を指していた学校の時計は自宅の時計よりも **15 分**進んでいる。同様にして，公園に着いたとき自宅の時計は 10：30 を指しているはずなので，11：00 を指していた公園の時計は自宅の時計よりも **30 分**進んでいる。すると，公園の時計は学校の時計よりも **15 分**進んでいることになる。

解答　5

No.137　　　　　　　　　角形配置　　　　　　　　　重要度 C

　ある遊園地にあるジェットコースターは，左右 2 つの座席が前から 6 列並んでいる。A～I の 9 人がこのジェットコースターに乗ったときの着席状況について次のことが分かっているとき，確実にいえるのはどれか。

　　ア　A は D のすぐ前に着席したが，隣は空席のままだった。
　　イ　A は右側に着席した。A が真後ろを見ると，2 人おいて後ろには I が着席し，更に I の後ろには 1 列あった。
　　ウ　C の隣には G が着席し，G の後ろには座席が 5 列あった。
　　エ　F の後ろには座席が 3 列あった。
　　オ　H の隣には E が着席し，そのすぐ前の列の E の斜め左前には B が着席した。

1　C は 1 列目の右側に着席した。
2　B は 2 列目の右側に着席した。
3　F は 3 列目の左側に着席した。
4　E は 5 列目の左側に着席した。
5　H は 6 列目の右側に着席した。

解答欄

解 説 137

　ウから C と G は **1 列目**に着席している。エから F は **3 列目**に着席している。イから A の後ろには少なくも 3 列あるが，ア，イから A の左側は空席であるから A は **2 列目の右側**に，D は **3 列目の右側**に，I は **5 列目の右側**に着席している。すると F は **3 列目の左側**であり，1 ～ 3 列目は決定した。オから隣どうしの H と E が着席できるのは 4 列目か 6 列目だが，そのすぐ前の列に B が着席しているので，H と E がそれぞれ 6 列目の左側と右側，B と I がそれぞれ 5 列目の左側と右側に着席している。

	左側	右側
1 列目	C か G	G か C
2 列目	空席	A
3 列目	F	D
4 列目	空席	空席
5 列目	B	I
6 列目	H	E

解答　3

円形配置

重要度

　円形テーブルの周りに等間隔で 6 脚の椅子が置かれていて，これらに両親，長男，長女，次男，次女の一家 6 人が座っている。次のことが分かっているとき，長女の隣に座っている人として，正しいのはどれか。

　　ア　父の真向かいには母が座っている。
　　イ　長男の左隣の女性は，次男の右隣に座っている。
　　ウ　次女が座っている席は，長男の隣ではない。

1　父と長男
2　父と次男
3　長男と次男
4　母と長男
5　母と次男

解答欄

解 説 138

　円形テーブルを上から見たとき，**イ**から右回りに長男，女性，次男の順に座っているが，**ア**から長男と次男の間の女性は**母**である。したがって，**ウ**から**次女**は次男と父の間に座っていて，**長女**は父と長男の間に座っていることになる。

解答　　1

判断推理

No.139　　　順序関係　　　Ｂ 重要度

　Ａ〜Ｆの6人が50mのプールを往復し100mの競泳を行った。ターン地点とゴールに関する状況は次の通りであった。このとき確実にいえるのはどれか。

ア　Ａはターン地点からゴールまでに順位を1つ上げたが，Ｄよりも後にゴールした。

イ　Ｃはターン地点で2位，ゴールで3位であった。

ウ　Ｄはターン地点で4位だった。

エ　Ｅはターン地点からゴールまでに順位を2つ上げたが，Ｄよりも後にゴールした。

オ　Ｆはターン地点からゴールまで順位は変わらなかった。

1　ＡはＣよりも1つ下の順位でゴールした。

2　Ｂはターン地点では1位だった。

3　ＣはＤよりも上位でゴールした。

4　Ｄは2位でゴールした。

5　Ｅはターン地点では5位だった。

解答欄

解 説 139

　イとウから，ターン地点ではＣとＤはそれぞれ2位と4位，ゴールではＣは3位である。するとターン地点→ゴールについて，エからＥは3位→1位か6位→4位が考えられるが，Ｄよりも後にゴールしているのでＥは**6位→4位**である。アから順位を1つ上げたＡは**3位→2位**であり，オから順位が変わらなかったＦは**5位→5位**である。よって，ＤはＡとＥよりも先にゴールしているので**4位→1位**，残ったＢは**1位→6位**ということになる。

順位	ターン地点	ゴール
1位	Ｂ	Ｄ
2位	Ｃ	Ａ
3位	Ａ	Ｃ
4位	Ｄ	Ｅ
5位	Ｆ	Ｆ
6位	Ｅ	Ｂ

解答　　2

政治
経済
社会情報
日本史
世界史
地理
文学芸術
国語
数学
物理
化学
生物
地学
英語
現代文古文
資料解釈
判断推理空間把握
数的推理

図形の結合

図 I のように，垂直な壁面と底面がある。これに正方形を「どの正方形も重ならず，少なくとも正方形の左辺と下辺を含む 2 辺以上は壁面または底面または他の正方形に接している。」という条件を満たすように並べていく。図 II は 5 つの正方形を並べた例である。

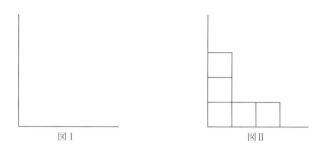

図 I　　　　　　　　　　　　図 II

このとき，6 つの正方形を並べると何通りの並べ方があるか。

1　7 通り
2　8 通り
3　9 通り
4　10 通り
5　11 通り

解答欄

解 説 140

縦に並んでいる正方形の個数を左から順に書いていくと，図 II では $(3, 1, 1)$ となる。6 つの正方形では $(a, b, c \cdots)$ かつ $a + b + c + \cdots = 6$ かつ $a \geqq b \geqq c \geqq \cdots \geqq 1$ を満たす整数の組を求めればよいから，順に書き出すと (6)，$(5, 1)$，$(4, 2)$，$(4, 1, 1)$，$(3, 3)$，$(3, 2, 1)$，$(3, 1, 1, 1)$，$(2, 2, 2)$，$(2, 2, 1, 1)$，$(2, 1, 1, 1, 1)$，$(1, 1, 1, 1, 1, 1)$ の **11 通り**となる。

解答　　5

空間把握

No. **141**　　　　　　**展開図**　　　　　　Ⓐ 重要度

図 I のように，立方体において一つの頂点に集まる 3 辺の各中点を通る平面で立方体を切断し，図 II のように小さな三角錐を取り去った。

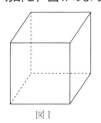
図 I

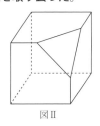
図 II

立体を展開したとき，展開図としてあり得ないのは次のうちどれか。

1　　　　　　**2**　　　　　　**3**

4　　　　　　**5**

解答欄

解 説 141

図のように頂点をおくと，点 Q と点 S が同じ点になるから，辺 RS の中点 F に対して対応する QR の中点が存在しない。よって，**1** は誤りである。

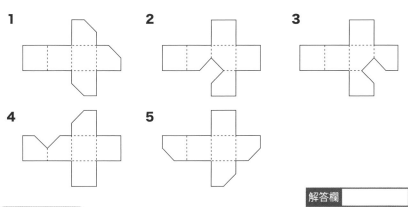

解答　　1

軌 跡

図のように，半径 2 の円の内側に半径 1 の円を内接させて，外側の円を固定し内側の円を，外側の円の円周に沿って滑らずに転がす。このとき，内側の円の円周上の点 P が描く軌跡として，適当なものはどれか。

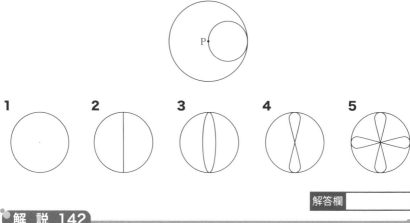

解答欄

解 説 142

　図のように $x°$ 転がした後の大円の中心を C，もとの接点を A，転がした小円において CA との交点を Q，接点を T，中心を B とする。

　$\angle ACT = x°$ より $\overarc{AT} = \dfrac{x°}{360°} \times 4 \pi = \dfrac{\pi x}{90}$，このとき中心角 $\angle QBT = 2x°$ より $\overarc{QT} = \dfrac{2x°}{360°} \times 2\pi = \dfrac{\pi x}{90}$ となる。すると，$\overarc{AT} = \overarc{QT}$ から元々点 A にあった接点が点 Q に移動したことになり，Q の点 B に関する対称点が転がした後の点 P だから，元々 C にあった点が P に移動したことになる。すると，線分 CT は小円の直径だから $\angle CQT = 90°$ より四角形 PCQT は点 P の位置にかかわらず長方形となり，点 P の軌跡は**大円の直径**となる。

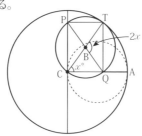

解答　　2

数的推理

年　齢

父，母，兄，妹，弟の5人で構成された家族について，本年の元日にそれぞれの年齢を調べたところ，次のア〜オのことが分かった。

ア　兄は弟より5歳年長であった。

イ　4年前の元日には，母の年齢は妹の年齢の4倍であった。

ウ　7年前の元日には，父と兄の年齢の和は，母と妹と弟の年齢の和と同じであった。

エ　3年後の元日には，父と母の年齢の和は，妹と弟の年齢の和の3倍となる。

オ　5年後の元日には，父の年齢は弟の年齢の3倍となる。

以上から判断して，本年の元日の5人の年齢の合計として，正しいのはどれか。

1　131歳

2　132歳

3　133歳

4　134歳

5　135歳

解答欄

解　説 143

本年の元日の父，母，兄，妹，弟の年齢を，それぞれ a, b, c, d, e とおくと，

アより，$c = e + 5$

イより，$b - 4 = (d - 4) \times 4$

ウより，$(a - 7) + (c - 7) = (b - 7) + (d - 7) + (e - 7)$

エより，$(a + 3) + (b + 3) = (d + 3 + e + 3) \times 3$

オより，$a + 5 = (e + 5) \times 3$　となる。

イより，$b = 4d - 12$

オより，$a = 3e + 10$　なので，これらをエに代入すると，

$(3e + 10 + 3) + (4d - 12 + 3) = (d + 3 + e + 3) \times 3$

$3e + 4d + 4 = 3d + 3e + 18$

$d = 14$　よってイより，$b = 44$

ウに $b = 44$, $c = e + 5$, $d = 14$ を代入すると，$a = 46$

よって，$e = 12$, $c = 17$　が求まる。

$46 + 44 + 17 + 14 + 12 = 133$ 歳

解答　　3

No. **144**　　　　　　　　　　整　数　　　　　 重要度

6で割ると3余り，7で割ると4余り，8で割ると5余る自然数のうち，最も小さい数の各位の数字の積はどれか。

1　9
2　12
3　18
4　24
5　30

解答欄

解　説 **144**

余りの数が，いずれも割った数より3小さいので，6と7と8の最小公倍数−3を求める。

6と7と8の最小公倍数＝ **2 × 3 × 7 × 4 = 168**

168 − 3 = 165

したがって，各位の数字の積は，**1 × 6 × 5 = 30** となる。

解答　　5

➕プラス知識

最小公倍数の求め方
　最小公倍数を求めるには，2つ以上の数に共通の約数で割っていき，共通の約数がなくなったら，共通の約数と残った数の積を求める。本問の場合は，6と8の共通の約数である2で割ったあとは，共通の約数がないため，2と，2で割った後に残った数をかける。

政治
経済
社会情報
日本史
世界史
地理
文学芸術
国語
数学
物理
化学
生物
地学
英語
現代文古文
資料解釈
判断推理空間把握
数的推理

通過算

　ある新幹線は，長さ1500mの鉄橋を一定の速さで通過するとき，列車の最前部が鉄橋に入ってから，最後部が鉄橋に入るまでに5秒掛かる。また，列車の最前部が鉄橋に入ってから，最後部が鉄橋を出るまでに30秒掛かる。この新幹線の全長はいくらか。

1　300m

2　350m

3　400m

4　450m

5　500m

解答欄

解 説 145

　列車が30秒間に進んだ距離は「鉄橋の長さ＋列車の長さ」であり，5秒間に進んだ距離は「列車の長さ」である。よって，その差である25秒間に進んだ距離が鉄橋の長さの1500mとなるから，新幹線の速さは $1500 \div 25 = 60$m/秒である。ゆえに，この新幹線の全長は5秒間に進んだ距離だから $60 \times 5 = 300$m となる。

解答　　1

➕プラス知識

別解

　列車の長さを xm とおくと，xm 進むのに5秒掛かるから，速さは $\dfrac{x}{5}$ m/秒となる。また，列車が30秒間に進んだ距離は「鉄橋の長さ＋列車の長さ」つまり 1500m＋xm であり，速さは $\dfrac{1500+x}{30}$ m/秒である。速さは同じであるから $\dfrac{x}{5} = \dfrac{1500+x}{30}$ が成り立ち，この方程式を解いて $x = 300$m となる。

数的推理

No. **146**

円　周

重要度 **B**

政治

経済

社会
情報

日本史

世界史

地理

文学
芸術

国語

数学

物理

化学

生物

地学

英語

現代文
古文

資料
解釈

判断推理
空間距離

数的
推理

　円形の池の周囲に観光列車が走っていて，内側の線路の長さを測ったら一周2km であった。線路の幅が 1m であるとき，外側の線路の一周の長さは内側よりもおよそ何 m 長くなるか。ただし，線路は完全な円形に敷かれているものとし，円周率は 3.14 とする。

1　1.57m

2　3.14m

3　4.71m

4　6.28m

5　12.56m

解答欄

解説 146

　内側の線路の半径を r m とすると，円周は $2 \times r \times 3.14 = 2000$ m…①である。このとき，線路の幅が 1m だから，外側の線路の円周は $2 \times (r+1) \times 3.14 = 2 \times r \times 3.14 + 2 \times 1 \times 3.14$ m となる。これに①を代入すると **2000 + 6.28m** となり，内側の線路よりもおよそ **6.28m** 長くなる。

解答　　**4**

➕ プラス知識

参考

　解答において $2 \times r \times 3.14 + 2 \times 1 \times 3.14$ のうち $2 \times r \times 3.14$ m がもとの円周で，**2 × 1 × 3.14 = 6.28m** が長くなった分を表している。ということは，r がどのような値であれ，長くなる分は変わらないということである。例えば，地球の赤道上空 1m にロープを 1 周させるには，赤道上に張ったロープよりも何 m 長くなるか，という問題であったとしても同じ答である。

速さ・時間・距離

　ある自動車に搭載されているカーナビは，目的地までの所要時間を計算する際，高速道路は時速 70km，一般道路は時速 30km で走行するように設定されている。この自動車で 200km 離れた目的地にドライブしようと出発前にカーナビを起動させたら，所要時間は 4 時間と表示された。200km の道のりのうち高速道路の占める割合はいくらか。

1 3 割

2 4 割

3 5 割

4 6 割

5 7 割

解答欄

解 説 147

　高速道路を走行した距離を $x$km とすると時間は $\dfrac{x}{70}$ 時間となる。このとき，一般道路を走行した距離は $200 - x$km で時間は $\dfrac{200 - x}{30}$ 時間である。よって，所要時間が 4 時間であることから $\dfrac{x}{70} + \dfrac{200 - x}{30} = 4$ となり，これを解いて $x = \mathbf{140}$**km** が求まる。つまり，200km の道のりに占める割合は $140 \div 200 = 0.7$ より，**7 割**である。

解答　　5

➕ プラス知識

別解

　200km の道のりのうち高速道路の占める割合を x 割とおくと，高速道路を走行した距離は $200 \times \dfrac{x}{10} = 20x$km で時間は $\dfrac{20x}{70} = \dfrac{2x}{7}$ 時間，一般道路を走行した距離は $200 - 20x$km で時間は $\dfrac{200 - 20x}{30} = \dfrac{20 - 2x}{3}$ 時間となる。よって，所要時間が 4 時間であることから $\dfrac{2x}{7} + \dfrac{20 - 2x}{3} = 4$ となり，これを解いて $x = 7$ 割としてもよい。

数的推理

No. 148

為 替 Ⓐ 重要度

A さんはアメリカ旅行に行った。出国前に手持ちの現金を $\$1 = ¥90$ で円からドルに両替し，アメリカでその現金の中から $\$500$ 使った。その間に円安が進んだため，帰国後に残った現金を $\$1 = ¥100$ でドルから円に両替したら，出国前にドルに両替した円と同じ金額になった。A さんが出国前にドルに両替した金額は何円か。ただし，為替手数料は考えなくてよいものとする。

1 40 万円
2 45 万円
3 50 万円
4 55 万円
5 60 万円

解答欄

解 説 148

A さんが出国前にドルに両替した金額を $¥x$ とすると，出国前のレートでは $\$\dfrac{x}{90}$ になる。この中から $\$500$ 使ったので帰国後の現金は $\$\dfrac{x}{90} - 500$ であり，帰国後のレートでは $¥\left(\dfrac{x}{90} - 500\right) \times 100$ となる。よって，$\left(\dfrac{x}{90} - 500\right) \times 100 = x$ となり，これを解いて $x = 450000$，つまり，**45 万円**である。

解答　2

➕ プラス知識 ⋯⋯⋯⋯⋯

参考

$\$1 = ¥90$ から $\$1 = ¥100$ に相場が変動すると「円安」になったという。逆のように思うかもしれないが，これはドルの方を固定しているからであって，円の方を 100 円で固定して考えれば，$¥100 = \$1.11\cdots$ から $¥100 = \$1$ に相場が変動したのと同じであり，確かに円の価値が下がって「円安」になったと分かる。

政治
経済
社会情報
日本史
世界史
地理
文学芸術
国語
数学
物理
化学
生物
地学
英語
現代文古文
資料解釈
判断推理空間把握
数的推理

No.149　連立方程式

重要度 C

　ある学生が書店に問題集を買いに行ったところ，国語，社会，数学，理科，英語の問題集が1種類ずつ販売されていて，国語と社会の問題集を買うと1,300円，社会と数学の問題集を買うと1,050円，数学と理科の問題集を買うと850円，理科と英語の問題集を買うと1,150円，英語と国語の問題集を買うと1,250円であった。2教科の問題集の合計金額として最も高い金額はいくらか。

1　1,300円

2　1,350円

3　1,400円

4　1,450円

5　1,500円

解答欄

解 説 149

　国語，社会，数学，理科，英語の問題集の金額を順に a，b，c，d，eとすると，$a + b = 1300 \cdots$①，$b + c = 1050 \cdots$②，$c + d = 850 \cdots$③，$d + e = 1150 \cdots$④，$e + a = 1250 \cdots$⑤となる。

　①より $b = 1300 - a$ を②に代入すると $c = a - 250$ となり，これを③に代入すると $d = 1100 - a$ となり，これを④に代入すると $e = a + 50$ となり，これを⑤に代入すると $a = 600$ となる。そうすると順に $b = 700$，$c = 350$，$d = 500$，$e = 650$ となり，最も高い2教科の問題集は，bつまり社会の**700円**と，eつまり英語の**650円**で，合計金額は**1,350円**である。

解答　2

数的推理

No. 150　　　　　　　　　確　率　　　　　　　**B** 重要度

政治
経済
社会情報
日本史
世界史
地理
文学芸術
国語
数学
物理
化学
生物
地学
英語
現代文古文
資料解釈
判断推理空間把握
数的推理

　表面には 1 から 9 の数字が書かれていて，裏面は白紙である 9 枚のカードがテーブルの上に置いてある。この中から順に 1 枚ずつ 3 枚のカードを表にし，左から並べて 3 桁の整数を作る。このとき，5 の倍数になる確率はいくらか。

1　$\dfrac{1}{5}$

2　$\dfrac{1}{6}$

3　$\dfrac{1}{7}$

4　$\dfrac{1}{8}$

5　$\dfrac{1}{9}$

解答欄

解　説 150

　すべての並べ方は **9 × 8 × 7 通り**であり，このうち 5 の倍数となる並べ方は，一の位が 5 となる場合しかないので **1 × 8 × 7 通り**である。よって，5 の倍数となる確率は $\dfrac{1 \times 8 \times 7}{9 \times 8 \times 7} = \dfrac{1}{9}$ である。

解答　**5**

➕ プラス知識

参考

　くじ引きにおいて当たりくじを引く確率は引く順番と関係なく常に一定である。この事実は極々当然のことであって，そうでなければくじ引きは成立しない。もちろん，先に引いた人が当たれば確率は低くなるし外れれば高くなるが，全ての場合を考慮すれば確率は変わらない。先に引きたがる人，後に引きたがる人，色々だがそれらは心理的な問題である。

No. **151**   濃　度   重要度

　10%の食塩水150gに, 30%の食塩水50gを加えてよくかき混ぜた。このとき, 出来上がった食塩水の濃度は何%か。

1　10%

2　12.5%

3　15%

4　17.5%

5　20%

解答欄

解　説　151

　10%の食塩水150gに含まれる食塩は $150 \times \dfrac{10}{100} = 15$g で, 30%の食塩水50gに含まれる食塩は $50 \times \dfrac{30}{100} = 15$g である。よって, 混ぜ合わせた食塩水 $150 + 50 = 200$g に含まれる食塩は $15 + 15 = 30$g であるから, その濃度は $\dfrac{30}{200} \times 100 = 15\%$である。

解答　　**3**

＋プラス知識

別解

　この問題に天秤算の考え方を当てはめると, 出来上がった食塩水の量は200gで, 10%の食塩水との量の差は50g, 30%の食塩水との差は150gで, その量の比は $50 : 150 = 1 : 3$ である。

　このとき比率の比はこれを逆にした $3 : 1$ となるので, それぞれの濃度である10%と30%を用いると, $\dfrac{3 \times 10 + 1 \times 30}{3 + 1} = 15\%$となる。

数的推理

No. **152**

覆面算

C 重要度

政治
経済
社会情報
日本史
世界史
地理
文学芸術
国語
数学
物理
化学
生物
地学
英語
現代文古文
資料解釈
推論論理
数的推理

次の足し算において，A，B，C は 1 から 9 のうちのいずれか異なった数字を表している。このとき C の値はいくらか。

$$
\begin{array}{r}
A\ B\ C \\
B\ C\ A \\
C\ A\ B \\
A \\
+\quad B \\
\hline
2\ 0\ 1\ 2
\end{array}
$$

1　1
2　2
3　3
4　4
5　5

解答欄

解 説 152

この覆面算を，各位を補って横書きに直すと

$(100A + 10B + C) + (100B + 10C + A) + (100C + 10A + B) + (A + B)$
$= 2012$ となり，左辺を整理すると $111(A + B + C) + (A + B) = 2012$ となる。つまり 111 の倍数に $A + B$ を加えた数が 2012 である。ここで 2012 **より小さい最大の 111 の倍数は 111 × 18 = 1998** であり，よって $A + B + C = 18\cdots$①，$A + B = 2012 - 1998 = 14\cdots$②となり，②を①に代入して $C = $ **4** である。

解答　4

➕ プラス知識 ⋯⋯⋯⋯⋯⋯⋯⋯⋯⋯⋯⋯⋯⋯⋯⋯⋯⋯⋯⋯⋯⋯⋯⋯⋯⋯

参考

この問題における覆面を外してみる，つまり C = 4 以外に A と B を求めてみると，条件は 1 から 9 までの異なる数字で A + B = 14 であるから，

(A，B) = (9，5) (8，6) (6，8) (5，9) の 4 通りが考えられる。(A，B) = (9，5) の場合を書いてみると右式となり，確かに成り立っている。

$$
\begin{array}{r}
954 \\
549 \\
495 \\
9 \\
+\quad 5 \\
\hline
2012
\end{array}
$$

仕事算

3 人の職人 A, B, C が 1 軒の家を建てるとき, A1 人では 30 日, B1 人では 45 日, C1 人では 60 日の作業を要する。ある 1 軒の家を建てる際に, 最初の 10 日間は A, B, C の 3 人で作業を行い, 残りを A と B の 2 人で作業を行うとき, 1 軒の家が完成するまでにあと何日かかるか。ただし, A, B, C がそれぞれ行う 1 日の作業量は常に一定である。

1　1 日
2　2 日
3　3 日
4　4 日
5　5 日

解答欄

解 説 153

1 軒の家を建てるのに必要な作業量を 1 とすると, A, B, C がそれぞれ行う 1 日の作業量は $\frac{1}{30}$, $\frac{1}{45}$, $\frac{1}{60}$ である。最初の 10 日間に A, B, C の 3 人が行った作業量は $\left(\frac{1}{30} + \frac{1}{45} + \frac{1}{60} \right) \times 10 = \frac{13}{18}$ であるから, 残りの作業量は $1 - \frac{13}{18} = \frac{5}{18}$ となる。ここで, A と B の 2 人が 1 日に行える作業量は $\frac{1}{30} + \frac{1}{45} = \frac{1}{18}$ であるから, あと必要な日数は $\frac{5}{18} \div \frac{1}{18} = \textbf{5 日}$ となる。

解答　5

数的推理

No. 154　　　　　　　　　　割　合　　　　　　　　Ⓐ ^重^要^度

　ある学校の生徒にアンケートを取ったところ，兄弟のいる学生は全体の70%であり，姉妹のいる学生は全体の60%であったが，一方で兄弟も姉妹もいない学生も10%存在した。このとき，兄弟も姉妹もいる学生の割合はいくらか。

1　40%
2　45%
3　50%
4　55%
5　60%

解答欄

解　説　154

与えられた条件を表にすると次のようになる。

	兄弟あり	兄弟なし	合　計
姉妹あり			60%
姉妹なし		10%	
合　計	70%		100%

すると，縦・横の合計から空白の部分が埋まって次のように決まる。

	兄弟あり	兄弟なし	合　計
姉妹あり	**40%**	20%	60%
姉妹なし	30%	10%	40%
合　計	70%	30%	100%

よって表より，兄弟も姉妹もいる学生の割合は**40%**である。

解答　　1

●編著者
L&L 総合研究所
License & Learning 総合研究所は，大学教授ほか教育関係者，弁護士，
医師，公認会計士，税理士，1級建築士，福祉・介護専門職などをメンバー
とする。資格を通して新しいライフスタイルを提唱するプロフェッショナ
ル集団。各種資格試験，就職試験を中心とした分野，書籍・雑誌・電子出版，
WBT における企画・取材・調査・執筆・出版活動を行っている。

本書の内容に関するお問い合わせは、**書名、発行年月日、該当ページを明記**の上、書面、
FAX、お問い合わせフォームにて、当社編集部宛にお送りください。**電話によるお問い合わ
せはお受けしておりません。**
また、本書の範囲を超えるご質問等にもお答えできませんので、あらかじめご了承ください。
　FAX：03 - 3831 - 0902
　お問い合わせフォーム：https://www.shin-sei.co.jp/np/contact.html

落丁・乱丁のあった場合は、送料当社負担でお取替えいたします。当社営業部宛にお送りください。
本書の複写、複製を希望される場合は、そのつど事前に、出版者著作権管理機構（電話：
03-5244-5088、FAX：03-5244-5089、e-mail：info@jcopy.or.jp）の許諾を得てください。
JCOPY ＜出版者著作権管理機構 委託出版物＞

絶対決める！
地方初級・国家一般職〈高卒者〉公務員試験総合問題集

編 著 者	L & L 総合研究所
発 行 者	富 永 靖 弘
印 刷 所	誠宏印刷株式会社

発行所　東京都台東区　株式　新星出版社
　　　　台東2丁目24　会社
　　　　〒110-0016 ☎03(3831)0743

©SHINSEI Publishing Co., Ltd.　　　　　Printed in Japan